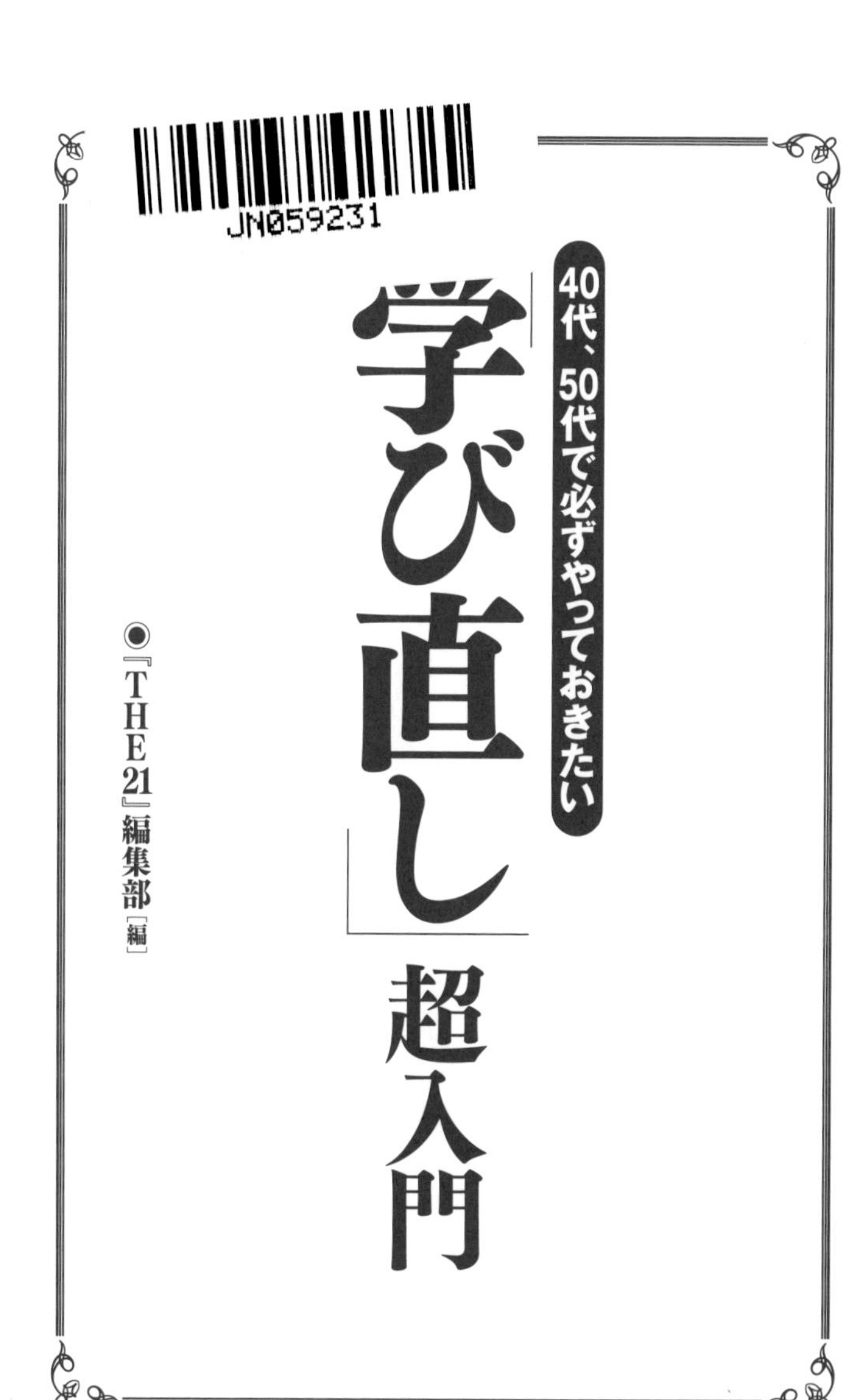

40代、50代で必ずやっておきたい

「学び直し」超入門

◉『THE21』編集部［編］

PHP研究所

はじめに

「学び直し」「リスキリング」「アンラーン」「リカレント教育」「生涯学習」「生涯現役」……。近年の企業環境や社会構造の変化により、このような社会人の「学び」に関する言葉や情報を目にする機会が増えたことでしょう。

ビジネス月刊誌『THE21』(PHP研究所)でも、こうしたテーマで特集を組むと、とても好評で定番になりつつあります。

それは、その必要性を、ミドル世代、すなわち40代・50代のビジネスパーソンの多くが感じておられるからではないでしょうか。

本書は、『THE21』にこれまで掲載した総計25名の方々へのインタビューを、新たな構成のもとに再録したものですが、概論であれ、実践論であれ、体験談であれ、共通して感じとることができるのは、前向きで積極的な姿勢、そして日常における楽しみや喜びを大切にしたいという願いが根底にあるということでした。

さらにいえば、どの方のお話も、環境の進歩や変化に、素直に順応し、自らを成長・発展させていこうとする精神に満ちているということでした。

人生100年時代が到来し、70代まで働き続けることがもはや当たり前となりつつある中で、誰もが、その人生後半を楽しく、生きがいを感じて、心も身体も豊かに生きていきたいはずです。

しかし、その実現のためには、どのような準備が必要になるのでしょうか。どういった「装備」を獲得すると良いのでしょうか。「何を」「どこで」「どのように」学び直すと良いのでしょうか。

その答えを、ぜひ本書で見つけていただきたいと思います。そして、これまでの自分の生き方を肯定しつつも、新たな自分の可能性を求めて、「学び直し」に挑戦する「きっかけ」にしてもらえたらとも思います。

2023年3月

『THE21』編集部

40代、50代で必ずやっておきたい「学び直し」超入門

目次

第2講

「何を」「どこで」学べばよいか
——40代・50代からの「学び直し」超入門

〈「キャリア&学び」の専門家に聞く〉篇

〈「学び」の実践者に聞く Part 2〉篇

第3講

「どのように」学び直すか
――稼ぐ力を手に入れる！

「学び」の成功者&プロフェッショナルに聞く

装丁――松岡昌代（WELL PLANNING）

第

講

「なぜ」学び直すのか

——大人の学びについて考えよう

最初の一歩を重く捉えず、今日の「1分」から始めよう！

——独学の道の開拓者が教える「学び直し」への踏み出し方

ブログ「読書猿 Classic: between/beyond readers」主宰
読書猿

学び直しに興味はあっても、そのための準備や時間の確保が難しい、という人も多いだろう。しかし、約８００ページの大著『独学大全』で注目を集めた読書猿氏によると、学び始めるのに時間も準備も不要だという。失敗を恐れず、とにかく学びを「始める」ことが先決と語る読書猿氏に、詳しいお話をうかがった。

ILLUSTRATION：塩川いづみ

学びだすと自分が変わる、周囲も変わる

「何歳からでも学び直しはできますよ」と言うと、「今さらだ」「必要ない」と答えるミドルの方が結構いるんです。

そういう方は「自分の未来なんてもう変わらない」と思っているのかもしれません。例えば定年までの自分の地位や収入を、心のどこかで予想できてしまう。だから学ぼうという気持ちが起きない。

でも本当にそうでしょうか。未来は誰にもわからない。意地悪な言い方をすれば、このまま「逃げきれる」保証なんてどこにもないのです。

それならいっそ、未来を自分の手で変える道を選んだほうがいい。**学び直しに挑戦すれば、何歳からでも未来を変えることができる**のです。

これは皆あまり言わないから言いますが、学びだすと本人はもちろん、その周囲も変わります。ほとんどの動物は、学習はできても、他の個体から教わったり真似したりできない。だからある個体が死んでしまえば、その個体が学んだことは消えてしまう。人

間は違います。直接教えたり、書き残したりすることで、周囲に影響を与えたり、受け取ったりできるのです。

死ぬと言うと大げさですが、自分が学んだ「影響」は、退社後も末永く残ります。普段は気づかないけれど、組織は誰かが重ねてきた学びの「影響」の上に成立しているんです。でなければ、硬直化して変化もなく、組織のほうが死んでしまいます。

学ぶテーマを見つける秘策「カルテ・クセジュ」

未来を変えるためには、どんなことを、どのように学び直せばいいのでしょうか。まず基本的なことですが、行動が結果に直結するもの、例えば**「数週間で身につく技術・資格」といったものは、誰でも飛びつくので競争が激しくなりがち**です。習得できたとしても、たいてい買いたたかれてしまうでしょう。

むしろ、成果が見えにくいものこそ、「自分だけの強み」にできる可能性が高いものです。例えば「数学」などは、多くの人が避けて通りがちですが、ＩＴや金融をはじめ、今後多方面で必要とされる知識です。語学と違い「ネイティブ」がいないこともプラス要素。経済産業省が「数理資本主義」という言葉を提唱しているぐらいですから、まず間違いなく今後、必須の知識になると思います。

また、ミドルの方々なら、自分の経験や関心事からテーマを見つける方法もあります。いわば自分の知の棚卸しですね。その**一例として「カルテ・クセジュ」という手法を紹介**します。

まず、自分の得意なもの、知っていること、自信がある分野、人に教えられることなどを、思いつく限り何でも紙に書き出します。書き方は単語でも短文でも何でもOKです。

そのあとその紙をじっと眺め、関心があるもの、もっと学びたいもの、率先して人に教えたいものなど、少しでも食指が動くものを四角で囲っていきます。そして、四角で囲ったものから、大事そうなものや気になるものをもう一度四角で囲い、二重の四角を作るのです。

二重の四角ができたら、そのテーマについて辞書や事典、ネットで簡単に調べ、周りにどんどん書き出していきましょう。

そして最後に、関連する項目を線で結び、全体を眺めます。その中から最も知りたいものを一つ選ぶと、学ぶべきものとその周辺が見えてくるのです。

興味と実益を両立させる！
「カルテ・クセジュ」

1

自分の得意なものや知っていること、熟達していることを書き出す

2

そこから自分がさらに取り組みたいこと、役立ちそうなものを□で囲み、その中で「大事そう」「気になる」ものをさらに□で囲む。□が二重になったものの周辺テーマを調べ、書き出していく

3

出来上がった自分の「関心地図」から、特に学びたいものを選ぶ

ビジネスパーソンの実践例

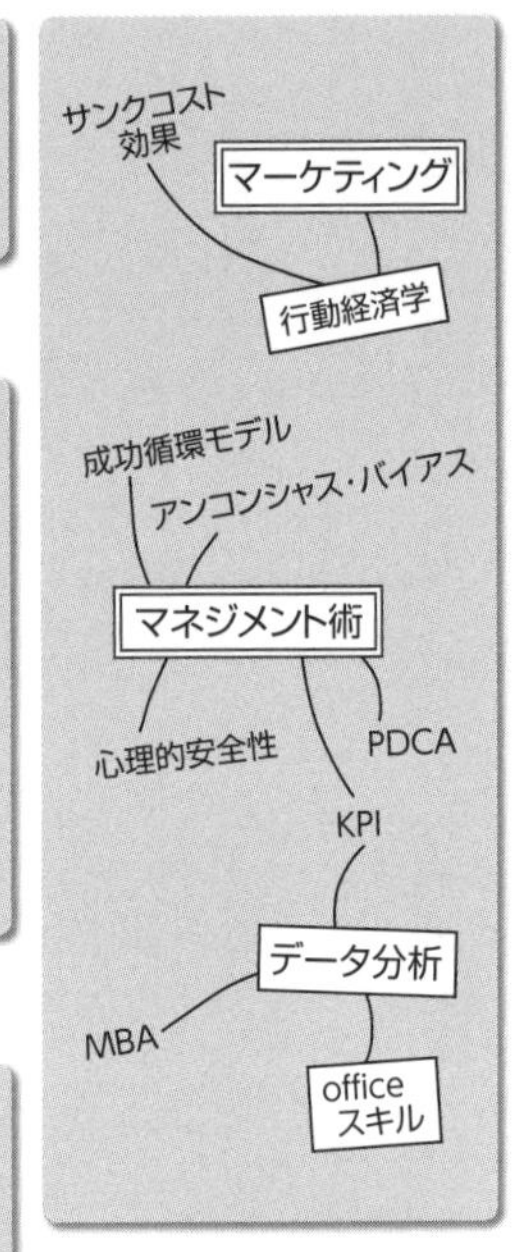

※出典：読書猿氏の著作『独学大全』（ダイヤモンド社）をもとに編集部にて作成

実利ばかりに囚われず、自分の経験や興味の志向性を取り入れることができるこの方法で、より実りある学びを志してみる、というのもお勧めです。

「不完全燃焼」の感覚が、学びのモチベーションになる

学び直しに興味はあるが、そんな時間はない、という方もよくおられます。ですが、私としては**「本当に1分たりともありませんか?」「信号待ちの時間もないんですか?」と逆に質問したい**と思うんです。

まとまった時間がないと学ぶのは無理、と考えるのは学習観が狭く凝り固まっているのだと思います。**1分あれば、英単語が一つ覚えられます。これだって立派な「学び」ですよね。**

こう言うと「でも、たった1分しかないと中途半端で終わって、フラストレーションが溜まります」と返す人もいます。しかし実は、それこそ「1分学習」のもう一つの狙いです。ものごとを中断させられると、もっとやりたくなるのが人の性(さが)というもの。単語を一つ覚えられるかどうかのところで信号が変わってしまった、せめて2~3個はまとめて覚えたかった……こうした「不完全燃焼感」が、人を再度の学習に向かわせる強力な動機づけになるんです。

ですからまずは1分、あるいは数十秒でも構いません。とにかく学び始めてください。その1分が10年、20年続く学習につながっていくかもしれないのです。そう考えると、**私たちは毎日毎日、学び直しにつながる貴重な1分を、いともたやすくポイポイと捨てている**ことがわかります。あまりにもったいないですね。

要するに、やる気が出ない理由は、やっていないからなのです。どんなに小さな動き出しでも構いません。まずは最初の一歩を踏み出すことが肝心です。

理想の学び方は「気軽に始めてどんどん挫折」

さて、ここまで話したことと一見矛盾するようですが、学び直しというのは、なかなか続かないのが当たり前、という認識も持っておきましょう。

でも失敗しても、次の機会にまた学び始めればいいだけのこと。挫折が怖い、時間を無駄にしたくない、と言って何もしない人より何倍も生産的です。

かくいう私も、幾度となく挫折を経験しました。始めたその日のうちに「これは無理」と思い、eラーニングを退会してしまったこともあるくらいです。

また、語学に至っては今までに7~8カ国語に挑戦しましたが、みな途中で放り出してしまいました。でもそれも、今学んでいるものがひと段落したらまた性懲りもなく再開しようと思っています。

何かに挫折したからといって、もう一生それを学んではいけないなんて決まりはありません。むしろ挫折し、それでも再開する人のほうがずっと先へ行ける。**学び続ける人とは挫折しなかった人ではなく、転ぶたびに立ち上がった人**なんです。

失敗することを重く捉えず、もっとカジュアルに学び始め、もっとカジュアルに挫折すればいいのです。そうすれば、学びのハードルだってぐっと下がっていきます。

そんなに簡単に挫折していたら何もモノにならない、もっと慎重に行動すべき、と思う人もいるかもしれません。ですが、学んだことが100%成果に結びつかないと納得できないのでしょうか。どんなことも必ずモノにできるほど優秀な人間が、この世界にいるのでしょうか。

理想通りの自分にならなかったからといって、落ち込む必要なんてありません。ほとんどの人は、理想通りの自分になってなどいないはずです。それでも理想には意味がある。北極星にたどり着いた人はいませんが、古来あの星はたくさんの旅人や船乗りを導いてきました。私たちは皆、理想と比べればいつだって不完全です。だからこそ学ぶことがあり、学び続ける理由がある。

それに、**仮に挫折してしまっても、挫折する前よりも成長していることは確実**です。もし英語を勉強したなら、TOEIC900点という大目標を達成できなかったとしても、以前よりずっと多くの英単語を覚えているはず。それだけで十分素晴らしい成果ではありませんか。

小さな成長を拾い上げ、その都度喜ぶことができれば、それを励みに少しずつでも前進することができます。その積み重ねこそが、いずれ成果につながるのです。

「失敗ノート」が、いつしか自分専用の「教科書」になる

最後にもう一つだけアドバイスを。**失敗や挫折に直面したら、その失敗を書きとめておく**習慣をつけましょう。なぜ挫折したか、どうダメだったか、どう工夫したらマシになったかを「失敗ノート」に連綿と記録していくことで、失敗を回避し、乗り越えるための「道具箱」が出来上がっていきます。

気が進まない作業なのは確かですから、このメモは「たったの一行でもＯＫ」といったゆるいルールがいいですね。

私自身、今まで無数の挫折を経験したからこそ、『独学大全』（前掲）を上梓することができました。私が成功ばかりの有能な人間だったら、この本はせいぜい１００ページくらいにしかならなかったことでしょう。

気軽に学び始め、どんどん挫折し、その記録を書き溜めていく。失敗ノートは「私はこういう人間」という、自分についての教科書にもなります。なんなら、それが生まれるだけでも十分に素晴らしい成果と言えるのではないでしょうか。

PROFILE

どくしょざる●幼い頃から読書は不得手だったが、自分自身の苦手克服と学びの共有を兼ねて、1997年からインターネットでの発信（メルマガ）を開始。2008年にブログ「読書猿Classic」を開設。古典から最新の論文まで、先人たちが残したありとあらゆる知を独自の視点で紹介し、人気を博す。現在も昼間はいち組織人として働きながら、朝夕の通勤時間や休日を利用して独学に励んでいる。著書に『アイデア大全』『問題解決大全』（共にフォレスト出版）、『独学大全』（ダイヤモンド社）などがある。

面白い話ができる人、「何か違うね」と思われる人になろう！

――前頭葉を鍛える50歳からの勉強法

和田秀樹
精神科医

高齢者専門の精神科医として、30年以上にわたり、高齢者医療の現場に携わっている和田秀樹氏。和田氏によれば、40代、50代が勉強において最も注意すべきは、前頭葉の機能低下による、取り組み意欲の低下だという。前頭葉を刺激し、衰えさせないユニークかつ理に適った勉強法を伝授してもらった。

記憶力や計算力よりも、「意欲」の低下が最大の敵!?

今、50歳前後の方の中には、「これから歳を取るにつれ、記憶力や計算力がどんどん落ちていくのではないか」と不安に感じている人も多いと思います。

しかし現実には、記憶力や計算力の低下よりもはるかに早く起きるのが、前頭葉にかかわる能力の低下です。

前頭葉は、興味・関心、自発性、意欲、創造性、未知の状況への対応力、感情のコントロールなどの機能を司っています。一方、言語理解を司っているのは側頭葉、計算力や図形理解を司っているのは頭頂葉です。

側頭葉はかなりの高齢になっても、高い機能を維持することが可能ですし、頭頂葉の機能は加齢と共に低下するものの、それはまだ先の話です。これに対して**前頭葉の機能は、40代、50代頃から機能の低下が見られるようになります**。

怖いのは会社員や公務員の場合、自分の前頭葉の機能の低下に気づきにくいことです。組織の中にいれば、やるべき課題は上から与えられます。

大人の勉強を妨げる前頭葉の機能低下

前頭葉

興味・関心、自発性、意欲、創造性、未知の状況への対応力、感情のコントロールなどの機能を司る

衰えると……

組織の中で言われたことはこなすことができる

しかし、組織を離れると、新しいことに挑戦するのも億劫になる、という困った状態に陥る

前頭葉の機能が低下、つまり意欲や興味・関心が低下していても、言われた仕事をこなすことはできるので、「自分の脳は、まだまだしっかりしている」と誤解してしまうのです。

ところが定年になり組織を離れると、「これをやれ」と指示をしてくれる上司はいなくなります。

そのときに前頭葉の機能がすっかり落ち込んでいれば、これから自分は何をすればいいかがわからず、新しいことに挑戦するのも億劫（おっくう）になる、という困った状態に陥るわけです。

筋肉と同じで、前頭葉は使わなければ確実に衰えていきます。これから先、意欲も創造性も失った老人になりたくなければ、**50歳のうちから前頭葉を鍛えることを意識した勉強のやり方を心がけるべきです。**

自分の中の常識や固定観念を常に揺さぶる工夫が必要

私は50歳からの勉強は、**「周りの人たちが、自分の話を面白がって聞いてくれるようになること」**を目標に定めることをお勧めしています。

前頭葉が老化すると、思考の幅に柔軟性がなくなったり、前例踏襲思考になったりします。「これはこういうものだから」とか、「これは今までこうやってきたから」が口癖になっている人の話を、誰も面白いとは思ってくれません。

「今まで考えたこともなかったけど、そういうモノの見方があったのか！」という気づきのある話に対して、人は面白がってくれますし、自分のところに集まってきてくれます。

「面白い話ができるようになること」を目指して勉強をすれば、まず人生が人間関係に恵まれた豊かで楽しいものになります。また面白い話をするためには前頭葉をフル回転させなくてはいけませんから、自然と前頭葉も鍛えられていくわけです。

面白い話ができるようになるためには、**ただモノを覚えるだけの知識吸収型の勉強から脱却する必要があります**。ネットを見れば大概の情報が入手できる今の時代は、あなたがどんなに博学だったとしても、誰もありがたがってはくれません。

また勉強をする中で、自分の中にある常識や固定観念を常に意識的に揺さぶる工夫をしていくことも大切になります。

「物事を多面的に捉える力」を高める勉強法

具体的な勉強法としては、**自分の思想信条と合わない本をあえて読んでみる**という方法があります。

例えば、普段保守的な思想に共感している人であれば、リベラルな思想の著者が書いた本を手に取ってみます。そしてその**著者の思考の枠組みや価値観に自身をさらすことで、自分の中にある固定観念に揺さぶりをかける**のです。

またテレビの報道番組を観ているときには、「自分がコメンテーターだったら、どんなコメントをするだろう」という意識を持つようにするとよいでしょう。

視聴者から「面白い」と思ってもらうためには、他のコメンテーターとは違う独自の視点から分析や解釈を行ない、コメントができることが求められます。

そのためには例えばウクライナ問題であれば、ウクライナやアメリカ、ＥＵの立場からではなく、ロシアの立場から問題を捉えてみるといったことが大切になります。これもまた、自分の中にある常識や固定観念に揺さぶりをかけることにつながります。

本やテレビ、ネットなどから知識や情報を得るときに、常にこうした意識で臨むようにしていれば、物事を多面的に捉える力、専門用語で言えば「認知的複雑性」が高まります。考え方が違う相手のことも理解できるようになり、自分の考えを頑固に部下に押しつけるウザい上司にもならずに済みます。

50歳前後の人のほうが創造性を発揮できる場合もある!?

最初にお話ししたように、前頭葉は興味・関心や自主性、創造性を司っている部位です。ですから前頭葉を衰えさせたくなければ、今まで自分が取り組んでこなかった新しいことに興味を持ち、意欲的に学んでいく姿勢も大切です。

ただし新しいことに興味を持って勉強するというのは、「メタバースやＡＩといった最先端のテクノロジーに、常に精通しておく」という意味ではありません。

新しく出てきたテクノロジーほど、更新のスピードが速く、残念ながら50代にもなると、ついていくのが大変です。すると知識を吸収することで精いっぱいになり、とても前頭葉を働かせて創造性を発揮していく余裕はなくなります。

もちろん「メタバースの可能性を考えるとワクワクして眠れなくなる」というぐらいに興味がある人は、とことん追求すればよいと思いますが、そうでない人は無理をする必要はありません。テクノロジー的には**新しく出てきたテーマではなくても、そのテーマに強い興味を持って勉強することで、創造性を発揮していくことはできます**。

例えば今や日本では、人口の約30％を65歳以上の高齢者が占めています。「メタバースの世界で何か新しいサービスを提供できないか」を考えるのは大変ですが、「まだ世の中に存在していない高齢者向けの新しいサービス」を考えることであれば、きっと多くの人ができるのではないでしょうか。むしろ50歳前後の人のほうが年齢的に高齢者に近い分、若い人よりもアイデアが出やすいはずです。

50歳からはアウトプット型の勉強を重視せよ

こんなふうに「高齢者向けのサービスを考えるために、超高齢社会の現状や課題について勉強する」というのは、吸収した知識をビジネスなどに活かすことを目的としたアウトプット型の勉強であると言えます。

私は以前、『思考の整理学』などの著書で知られる外山滋比古(とやましげひこ)さんと対談したことがあります。そのとき外山さんがおっしゃっていたのは、「歳を取ったら、もう勉強なんかしなくてもいい」ということでした。ここで言う「勉強」とは、インプットのことです。**「インプットよりもアウトプットを重視しなさい」**というわけです。

私も外山さんの意見に大賛成です。なぜならここまで述べてきたように、インプット(知識の吸収)だけでは前頭葉は鍛えられないからです。

アウトプットのやり方としては、学んだことを起業や新規事業の提案に活かしていくというのもあるでしょうし、学んだ結果をツイッターやフェイスブック、あるいはｎｏｔｅなどの作品配信サイトに発表していくというやり方もあるでしょう。

学んだことをもとに自分の意見を発表するときに意識してほしいのは、やはり何と言っても**「他の人とは違う独自の視点から分析や解釈を行ない、読み手に面白いと思わせる文章」を書く**ことです。

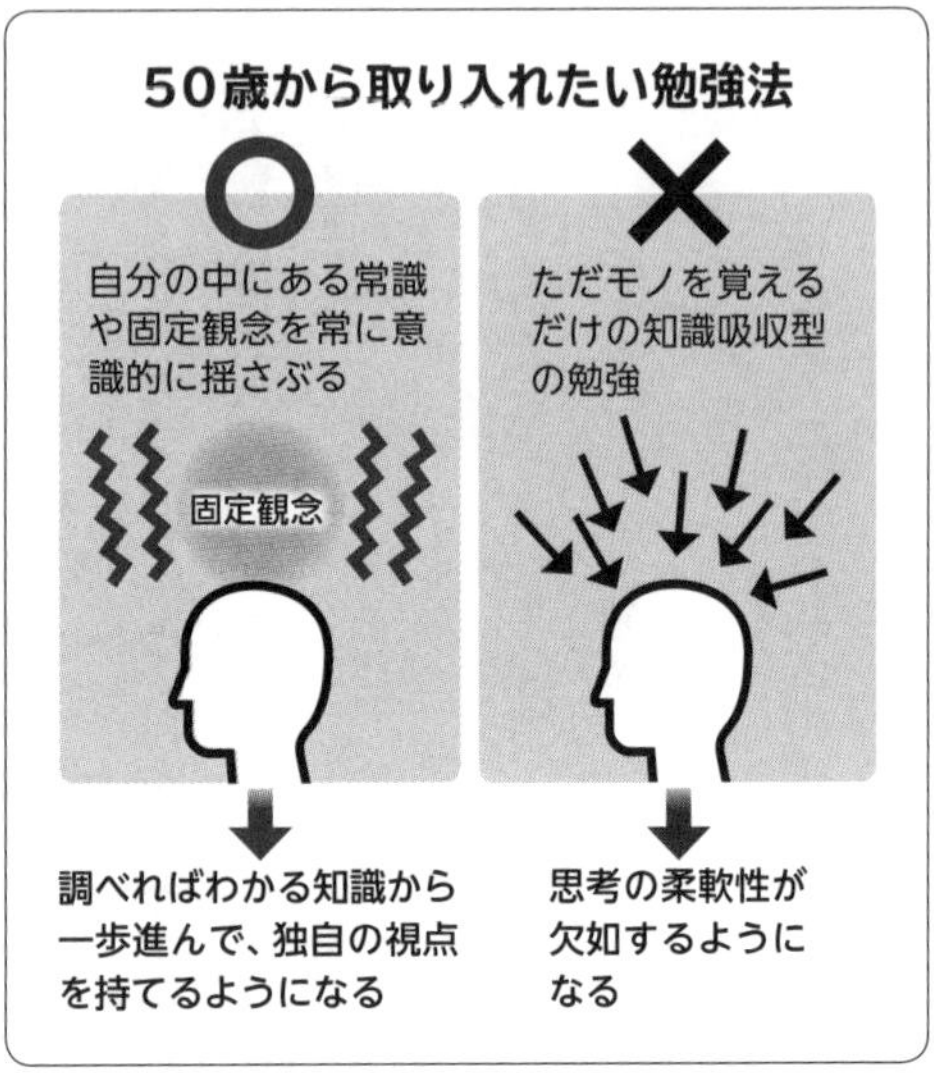

50歳から取り入れたい勉強法

○
自分の中にある常識や固定観念を常に意識的に揺さぶる

固定観念

調べればわかる知識から一歩進んで、独自の視点を持てるようになる

×
ただモノを覚えるだけの知識吸収型の勉強

思考の柔軟性が欠如するようになる

昔と比べれば、ＳＮＳなどを活用してアウトプットをする人は非常に増えています。しかしほとんどの人は、当たり障りのないことしか書いていません。なぜそんな文章しか書かないかというと、独自の視点を持っていないか、持っていたとしても反論が怖くて書かないかのどちらかです。

しかし反論を恐れて無難なことしか言わなければ、周りの人から「あの人、面白い」と思ってもらうことはできず、前頭葉も鍛えられません。

逆に「これを書いたら、きっとこんな反論がくるから、そのときはこう切り返そう」と想定しながらアウトプットをすることは、前頭葉を思いっきり刺激します。**反論がくるぐらいの文章を書いてこそ、意味のあるアウトプットである**と言えます。

私は、実は日本人はシニア層に限らず、若い人も前頭葉を使っていない人が多いと思っています。学校も会社も、前頭葉を駆使して主体性や創造性をどんどん発揮する人よりも、上から言われたことを忠実に守れる人のほうを評価する文化が、長らく続いてきたからです。

だからこそ前頭葉をちょっと使うだけで、**「あの人は何か違うね」と、周りから一歩抜け出す存在になることは、50歳の今からでも十分に可能**です。

PROFILE

わだ・ひでき●1960年、大阪府生まれ。85年に東京大学医学部卒業後、東京大学医学部附属病院、国立水戸病院、浴風会病院精神科、米国カール・メニンガー精神医学校国際フェローなどを経て、現在、ルネクリニック東京院院長。映画監督としても活躍している。87年のベストセラー『受験は要領』(ゴマブックス)以降、精神医学・心理学・受験関連の著書多数。近著に『50歳からの「脳のトリセツ」』(PHPビジネス新書)がある。

「武器としての知識」を手に入れよ！

――40代以降に身につけるべきは「OSとしての知識」

山口 周

ライプニッツ代表
独立研究者、著作家、パブリックスピーカー

日々の仕事に追われて、「学び直し」もままならない。しかし、世の中の変化に対応できなければ、仕事がなくなる――。40代のそうしたミドル層が身につけるべきは「教養」であり、リベラルアーツだと山口周氏は主張する。ただしその教養をひたすら頭に叩き込んでいけばいいのかというと、そうではないのだともいう。

知識量で若者と戦っても意味はない!?

月並みな言葉で恐縮ですが、現在は変化の激しい時代です。例えば今、誰もが持ち歩いているスマートフォンの代表であるｉＰｈｏｎｅが現れたのは２００７年。誕生してからわずか10年ほどで、世の中の景色は一変し、新しい市場が生まれました。

問題は、これはまったく新しい市場ではなく、他の分野の価値がスライドしたものだということ。スマートフォンによりテレビや本などに費やす時間やお金が減ったのがまさに典型。**変化に対応しなければ、自分の仕事がなくなってしまう時代**なのです。

では、こうした変化で一番「割を食う人」は誰かと言えば、それは40代のミドル層です。この世代の人の多くが自らも現場に出るプレイングマネージャーですが、若い頃に身につけた経験則はもう使えない。これでは部下指導もできず、自ら結果を出すのも厳しい。この世代で一種の燃え尽き症候群に陥る人がいるのも無理のない話です。

だからこそ勉強が必要なのですが、注意したいのは、知識には２つの種類があることです。一つは「アプリとしての知識」。ＩｏＴやブロックチェーンといった最新知識などを指します。これは確かに大事ですが、どうしても陳腐化しやすい。

もう一つは**「OSとしての知識」。時代によって陳腐化しない哲学や文学といった教養、リベラルアーツ**です。こうした知識こそ、40代以降の人に身につけていただきたいのです。

理由の一つは、忙しい40代が最新知識を追い続けるには無理があるということ。そして、それ以上に、仕事の多くは「情報」だけでは動かないからです。

例えば組織開発や人材育成のコンサルティング業界には、毎年、多くの優秀な若手が入ってきます。彼らは勉強もでき、リサーチも綿密に行ないます。一方、パートナークラスになるとクライアントとの会食など関係作りが仕事の中心となります。こうなると、最新知識で彼らに太刀打ちするのはなかなか難しい。

それでも、仕事を決めてくるのはあくまでパートナーです。いくら情報を持っていても、相手の心の機微を理解し、適切なタイミングで声をかけるといった深い知恵がないと、ビジネスは進まないからです。そして、それらを学べるのがOSとしての知識なのです。実際、**楽しみながら成果を上げられる人はみな、このOSが強い**と感じます。

若者と同じステージで張り合っても仕方がありません。むしろ補完関係を作ることで、仕事はうまくいくのです。

本を読んだら即「抽象化」していこう

では、歴史や経済学といったいわゆる「教養」をひたすら頭に叩き込んでいけばいいのかというと、それもまた違います。それを「使える知識」に変えなくてはなりません。そこで必要となるのが「**抽象化**」です。

シェイクスピアの名作『リア王』は、本当に愛するがゆえに率直な物言いをする末娘を遠ざけたため、最後は他の娘に城を追われ零落する王の話です。ただ、あらすじを知っているだけでは、「使える知識」にはなりません。例えば「人は年齢を経ると、耳の痛いアドバイスをする人を遠ざけがち」という「抽象化」をすれば、組織論に応用できる知識となる。つまり、**ただ読んで覚えるより、「その知識がどう使えるかを考える」ことが重要**なのです。

抽象化することで、まったく別の教養とつながることもあります。例えば、徳川家康は、一番槍よりも耳の痛いことを言う武将を大事にせよという言葉を残しています。これはまさに、『リア王』と正反対。こうして知識と知識が横に繋がりました。これを「**構造化**」といいます。

これを繰り返すと、仕事の場面でも瞬時に抽象化・構造化ができるようになります。そして、**文学や歴史から得られた事例を用いつつ伝えれば、説得力は一気に増す**のです。

何を学ぶか、そして何を学ばないかを決める

もう一つ、大事なことがあります。それは「**何を学ぶかを決める**」こと。世の中の情報すべてを学ぶのは時間的にも不可能。自分はどんなジャンルやテーマの知識を深めていくかの「戦略」を最初に立て、それ以外は思い切って捨てる必要があるのです。

テーマ選びには2つの方向性があります。一つは、「**どの分野なら、今後のキャリアに役立つか**」、そしてもう一つは「**自分はそもそも何に興味があるのか**」。

私の経験をお話ししましょう。私がかつていた経営戦略コンサルティングの世界では、ある程度の年齢になると、「自分の専門分野を決めろ」と言われます。

私は代理店出身だったこともあり、メディア分野でのコンサルティングを専門にしよ

う と考え、その分野の勉強を始めました。ただ、大型書店に行ってみると、メディア分野の書籍の棚はきわめて小さい。書店の棚は世の中の関心のバロメーターでもあります。ということは、ニーズも小さいのではないか。

そして何より、自分がこうした本を読んでいても、面白いと心底思えなかったのです。一方、哲学や人文、歴史の本は時間を忘れて読むことができた。ならば、この分野と自分の仕事を結びつければいいと考えたのです。哲学や歴史からは「人」や「組織」について多くの示唆を得られます。私が今も専門分野としている組織開発や人材育成は、まさに自分ができることと好きなことを一致させた結果です。やはり自分が「面白い」と思えることでないと、勉強は長続きしません。

難しく思えるかもしれませんが、どんなジャンルの知識も必ず自分の仕事に結びつくものです。例えば、あなたが人事担当で、歴史小説が好きだとしたら、新選組についての書籍から、「なぜこれほど優秀な人材が集まったのか」といった抽象化が可能なはず。それは自社の採用戦略にも活かせるでしょう。

本に線を引き、必要なものは抜き出そう

さて、ここからはより具体的な勉強法についてお話ししたいと思います。**知識を得るのはやはり本がいい**と思いますが、その際、**本は「ノート」だと思い、どんどん線や書き込みを入れていきましょう**。私は読了後に改めて振り返り、九カ所までと限定して線を引いた箇所を抜き出し、簡単なコメントを入れています。せいぜい15分程度の作業です。ちなみに、「キンドル」ならば線を引いた箇所を一括で抜き出せるので、もっと早く済みます。

本を読む時間は、移動中や待ち時間などが中心ですが、こうした「スキマ時間」は探せばかなりあるものです。私は常に2、3冊のジャンルが違う本を持ち歩いています。集めた情報はクラウド上の情報管理ツールである「エバーノート」にて保管していますが、いつでも見返すことができ、検索性の高いものなら、ツールはなんでもいいでしょう。ただ、エバーノートが便利なのは、ジャンルごとに「タグ」を付けられること。例えば、「組織論」についての講演依頼が入ったら、そのタグの情報を見返すことで「抽象化」

していくのです。

ここで**大事なのが「アウトプット」**です。ブログでもフェイスブックでもいいので、**アウトプットの場を設けることが、抽象化を促します。**

読むべき本は必ずしも「古典」である必要はありません。村上春樹氏の文学や、『進撃の巨人』などのマンガから抽象化してもいい。ただ、古典は多くのことがくみ取れたからこそ残ってきたわけで、つまりは当たりの確率が高い、ということです。

ぜひ、**「武器としての知識」**を手に入れ、**この大変な時代を乗り越えてください。**

PROFILE

やまぐち・しゅう●1970年、東京都生まれ。慶應義塾大学文学部哲学科卒業、同大学院文学研究科修士課程修了。電通、BCGなどで戦略策定、文化政策、組織開発等に従事。現在、㈱ライプニッツ代表。㈱モバイルファクトリー社外取締役、㈱中川政七商店社外取締役も務める。『ニュータイプの時代』(ダイヤモンド社)、『世界のエリートはなぜ「美意識」を鍛えるのか?』(光文社新書)、『ビジネスの未来』(プレジデント社)、『思考のコンパス』(PHPビジネス新書)など著書多数。

毎日5分の小さな「振り返り」で新しい自分をつくる

――40代・50代が重視すべきは「抽象化・一般化」と「アンラーン」

柳川範之
東京大学経済学部・大学院経済学研究科教授

「学び」というと、新しい知識や情報のインプットをイメージする人が多いはず。だが、ネットが普及し、知識の価値が下がった現代においては、「今持っている知識を活用する力」がより大事になる。そしてその力をミドル世代が鍛えるには、日常的な振り返り、蓄えた知識や経験の棚卸しが重要な役割を果たすと柳川範之氏は指摘する。

ミドル世代に有効なのは「インプット」よりも「振り返り」

学び直しというと、「新しいことを勉強する」イメージがありますね。語学力をつける、プログラミングのスキルを習得する、そのために学校に通うなど「一念発起して行なう大がかりなインプット」だと思っている方も多いのではないでしょうか。

しかし学び直しは、そうした大きなイベントとは限りません。今、**40代・50代を迎えている方々に有効な学び直しは、むしろ「日常的な振り返り」**だと私は考えます。

40代・50代ならすでに知識や経験は十分蓄積されています。それに、多忙な時期ですから、大がかりな知識のインプットは負担が大きいでしょう。

そもそも「知識」というもの自体が、以前ほど価値あるものではなくなってきています。ひと昔前なら、知識の豊かな人は大いに尊敬されました。しかしネットが普及した今は、個々人が知識を頭に入れずとも、スマホを見れば事足ります。

ですから**現代において、「物知り」であることはさほど意味を持ちません。より大事なのは、「今持っている知識を活用する力」**です。

その力を鍛えるのが、振り返りです。これまで社会人として何を経験してきたか、どのようなスキルを獲得してきたのか、棚卸しをしてみましょう。

この作業も、大がかりである必要はありません。**毎日5分程度、今日したこと、今できていることを書き出すだけ**です。いたって簡単ですが、その積み重ねは、今後のキャリアや生き方を確実に変化させるでしょう。

「振り返り」の目的──「抽象化・一般化」と「アンラーン」

振り返りには、2つの目的があります。

一つは、**これまでに得た経験の「抽象化・一般化」**。個別具体的な経験から学びを抽出し、他の場面でも応用できるようにすることです。

もう一つは、「**忘れる」こと**です。誰しも長年働いていると、一定の価値観にとらわれやすくなるもの。その結果、発想力や柔軟性が次第に衰えてしまいます。そうなりそうな自分に気づき、**固定観念から自分を解放する試みを「アンラーン(unlearn)」**といいます。

「今日したことを書くだけで、そんなことができるのか？」と感じた方もいるでしょう。確かに、作業を羅列的に記録するだけでは、効果は期待できません。

お勧めなのは、何らかの「学問」をガイドにすることです。学問こそ、個別具体的な事例から法則性を抽出したもの。つまり、経験を一般化・抽象化するときの助けになるのです。

ビジネスパーソンなら経済学や経営学、法学など、社会科学系の本を選べば仕事との関連性も高く、役に立つでしょう。

まずは書店で社会科学系の棚を見て、自分の仕事と関係のありそうな本を買ってみましょう。簡単な入門書で構いません。

また、全部読み通す必要もありません。仕事と関わりの深い部分だけピックアップすれば十分。**本の読み方もまた、「インプット」より「抽出」が、40代以降に適した方法**なのです。

本を読んだときの感じ方も、10～20代の頃とは違っているでしょう。学生時代は理論をインプットするのみですが、年齢を重ねると、経験と結びつけて考えられるようになります。

「あの経験はこういうことだったのか！」と、思い当たる感覚を得られればしめたもの。それは、振り返りが学びになる瞬間です。

一見平凡な経験が「武器」に変わる

「一般化・抽象化」と言うと難しく聞こえますが、アプローチはごくシンプルです。例えば、過去から現在までに出会った上司について考えてみましょう。部署が変わったりチーム編成が変わったりするごとに、これまで何人もの上司と関わりを持ってきたはずです。

これは一見何の変哲もない、誰もが通る道に思えますね。しかし「学び直し」を経ると、きわめて有用なスキルになる可能性を秘めています。

個々の上司との間で起こったエピソードや、そこで抱いた思いを、とりとめのないままにせず「整理」をしてみましょう。切り口は自由です。

例えば、これまで出会った「見習いたい上司」「反面教師にしたい上司」。なぜそう思ったのか、それぞれどのような行動や考え方をする人だったのか、振り返ってみましょう。

そこにはきっと、自分の価値観に基づく一定の法則性があります。

それを見出せたら、「自分は上司としてどうありたいか」という、リーダーシップの指針を持つことができます。

上司との人間関係に苦労した方も、相手の人となりや自分の対応、その失敗や成功の分析を通して、「上司と円滑にコミュニケーションをとる秘訣」といった知恵に結びつけられます。

このように、**一見平凡な経験が、優れたコミュニケーションスキルへと変化する**のです。これが、「今ある知識を活用する」ということです。

うまく整理できないこともあると思いますが、気にしなくて構いません。工夫することと自体に意味があるからです。**経験を捨て置かずに振り返る姿勢が、自ずと学びを生成するのです。**

世代や職業の違う「仲間」を作ろう

「自分だけの偏った見解になっていないか？」と不安になることもあるかもしれません

が、そこも気にしなくて大丈夫です。

出来事をどう解釈するか、どんな知恵を導き出すかに「正解」はありません。つまり、自分で決めて良いということです。

「自分はこう解釈し、今後にこう生かす」と決めたなら、それが現時点での答え。その先でまた壁にぶつかれば、また振り返って検討し直せばいいのです。

もちろん、他者の視点が助けになることもあります。振り返りの「仲間」を作ることはとても有効。数人で集まって、それぞれの経験や考えを語り合い、互いにフィードバックするのは大いにお勧めです。

一人で考えるときとは違った視点が得られますし、自分では気づかなかった自分の強みに気づかせてもらえることも多々あります。

仲間を作るなら、職場以外の人が良いでしょう。例えば大学の同級生なら、気心が知れていて、かつ現在は違った環境に身を置いているため、視点が多彩になります。

さらに良いのは、世代の違う仲間を作ることです。日本社会は、縦の人間関係に親密さが生まれづらい傾向があります。違う世代と接するときについ「上司と部下」のような口調になって、フランクに話せない方も多いでしょう。その縛りを解くためにも、年の離れた人と友人関係の構築を図ってみましょう。

そのためには、趣味でつながるのが近道です。スポーツ、楽器、鉄道、何でも構いません。

同じ趣味を持ちつつ、異なる年代や業種の人々と接することで、これまで出会うことのなかったものの見方を知ることができます。

交流を楽しむ中で思わぬ気づき、発見を得られることもある

私も近年、世代や職業の違う人との交流が増えました。例えば、親しくさせていただいていて、書籍『Unlearn』を共著で書くことになった為末大さん。

彼はご存じの通りスポーツ界の人で、年齢も15歳下。為末さんと話していると、異なる背景を持つ人ならではの見解にハッとしたり、背景が異なりつつも共通する点を発見したりと、良い刺激を受けています。

ちなみに**若い友人と接するとき、「先輩風」を吹かせるのは禁物。それを防ぐには「話す」より「聞く」に重点を置くのがコツ**です。人の経験や考え方に耳を傾けると、自分

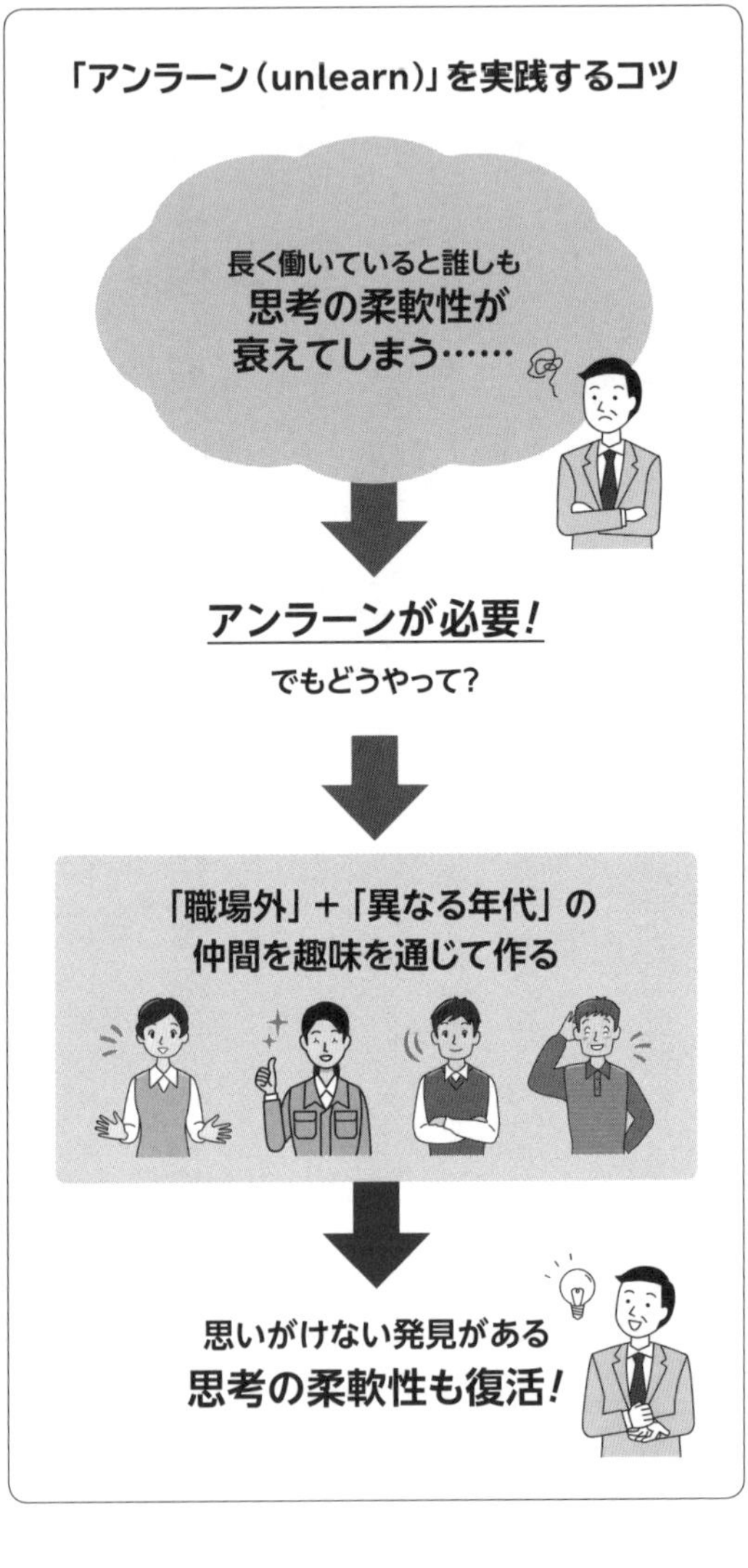

「アンラーン(unlearn)」を実践するコツ

長く働いていると誰しも
思考の柔軟性が
衰えてしまう……

アンラーンが必要!
でもどうやって?

「職場外」+「異なる年代」の
仲間を趣味を通じて作る

思いがけない発見がある
思考の柔軟性も復活!

の仕事にも役立つ知恵になることがあります。

やはり10歳以上年下で、レストランのシェフをしている友人がいます。彼が語るには、シェフの仕事は料理を作ることだけではないのだそう。

お客さまにとってレストランは大事なコミュニケーションの場。晴れの日を祝う人もいれば、大事な商談をする人もいます。

そうした一人ひとりのお客さまの目的が最上の形で叶うよう、料理のみならず全体のコーディネートを考えてサービスを提供するのがシェフの仕事だ、と彼は言います。

シェフの仕事は「味を追求すること」だと考えていた私は、目からウロコが落ちる思いがしました。そして、自分の仕事に当てはめても同じだと気づきました。

海外で経済交渉などを行なう際は、「何をどう話し合うか」といった内容面だけでなく、会場の雰囲気なども含めた、トータルな場づくりを意識すべきだ、と。

なお、友人との会話が毎回こうした気づきを生むわけではありません。ですから**「毎回、何か学びを得よう」などと意気込まず、まずは交流を楽しみましょう**。くつろいだおしゃべりの中で、ときどき思わぬ発見を得る、という形が理想的です。

「ダイバーシティ」は思考を柔軟にしてくれる

異なる背景を持つ人と接することは、「アンラーン」を促進します。会社という同質集団に身を置く中で、いつしか身についていた思考のクセを認識できるからです。「一つの考え方に凝り固まっていないか」と自問する機会が増え、思考の柔軟性が次第に戻ってきます。

この考え方は近年、「ダイバーシティ」という形で、組織の内側にも取り入れられています。年齢・国籍・性別の多様性を組織内に取り込むことで、違いから生まれるダイナミズムを促進しようという取り組みです。

ところが、**固定観念に縛られたままダイバーシティと向き合うと、本質から離れた受け止め方をしてしまいがち**です。

つまり、「このワードは差別になるらしいからNG」「女性にこういう言い方をしてはいけない」といったルールを機械的に覚えて、「面倒な時代になった」と嘆く、という対応です。

ダイバーシティは決してそのような「縛り」ではなく、ポジティブな役割を果たすものです。

異文化が接触し合うことは、組織の活性化のみならず、個人の発想をも広げ、成長を促します。一時的にはストレスを感じても、長い目で見ると、素晴らしい学び直しになるのです。

経営や人事に関わる立場の方も、ダイバーシティを取り入れるなら「社会的要請に合わせて」という動機ではなく、イノベーション喚起のために行なう意識が大切です。**外国籍の人、障害を持つ人、LGBTの人などを雇用するなら、それは親切心でもイメージアップのためでもなく、「社の成長に益すること」だと認識しましょう。**

そのうえで様々な違いと接し、ときに戸惑い、ときに発見を得ながら、固定観念や偏見をアンラーンしていきましょう。

今日を振り返って一般化のスキルと発想の柔軟性を高めよう

アンラーンに不安を感じる人も、きっといるでしょう。形成してきた価値観をリセットすると「自分が自分でなくなりそう」と怖くなる人は少なくありません。

しかし、古びて凝り固まった考え方を脱ぎ捨てたほうが、むしろチャンスは広がります。年を重ねてもなお柔軟な精神を持つことで、周囲からの信望・信頼も厚くなるでしょう。

ですから「1日5分」の振り返りをするとき、今日行なった仕事や下した決定を一つひとつチェックしてみましょう。会社のカルチャーに染まった固定的な選択になっていないか、安易に過去の慣例に従っていないか、そこに合理性はあるか、他にどんな選択があるか、という風に。

その選択を実行しなくとも、枠を外して考えることそのものが有効なアンラーンになります。

さて、こうした毎日の小さな学び直しは、学校通いや資格の勉強などと違い、どこまで進歩したかが見えづらいものですね。しかしここにも、簡単なチェック法があります。

それは、**「固有名詞と専門用語を使わずに、自分の仕事を語れるか」。これができたら、一般化ができているということ**です。

試しに、お子さんや親戚の子どもなど、未成年を相手に仕事の説明をしてみましょう。意外に難しいことがわかると思いますが、相手に通じる言葉を探る工夫が、良いトレーニングになります。

もう一つは、**「ある具体的体験から得た知恵を、別の場面に応用できているか」を、日々の行動から拾い出してみること**。知恵の「横展開」ができているなら、一般化のスキルも、発想の柔軟性も増しています。

日々小さく振り返りを重ね、進歩の跡を確かめながら、新しい自分へと歩んでいきましょう。

PROFILE

やながわ・のりゆき●1963年埼玉県生まれ。慶應義塾大学通信教育課程をシンガポールで修め、帰国後に東京大学大学院経済学研究科博士課程修了。経済学博士（東京大学）。慶應義塾大学講師、東京大学大学院経済学研究科助教授等を経て現職。『東大教授が教える独学勉強法』（草思社）など著書多数。近著に為末大氏との共著『Unlearn 人生100年時代の新しい「学び」』（日経BP）がある。

「何を・どこで・どうやって」学ぶべきか

――人生後半を充実させるための「学び直し」

中原 淳
立教大学経営学部 教授

この歳になってから新たに何か学んでも、大した成果は望めそうにない。だから今さらしんどい勉強はしたくない……そんなふうに思っているミドルは少なくないだろう。しかし、「大人の学びを科学する」をテーマに長年研究を続けている中原淳氏は、これからの人生を面白くするためにこそ「学び直し」が必要なのだと語る。

写真撮影：たかはしじゅんいち

学び直しが必要な理由は、生き残るためだけではない

ミドル世代にとって、「学び直し」の必要性は近年いよいよ高まっています。その背景にあるのは、ご存じ「人生１００年時代」。ヒトの寿命が有史以来最長となったのは、医療や福祉の充実によるものです。しかし困ったことに、日本の社会保障制度はそれをカバーできるほど充実していません。**多くの人は、健康寿命が続く限り働かねばならないのが現状**です。

現在、健康寿命は約80年。これだけの長期間に及ぶキャリアを、一つのスキル、一分野の知識だけで乗り切るのは困難です。ですから現代のビジネスパーソンは、一毛作ではなく二毛作、できれば三毛作ができるくらい、新たな知識を備えなくてはなりません。

これは「登山」にもたとえられます。かつて私はミドル以降のキャリアの変遷を「登山↓下山↓再登山」と表現しましたが、今思えば正確ではありませんでした。**ビジネスパーソンが想定すべきは、独立した山々ではなく「連山の稜線(りょうせん)」**です。一度登ったあと、それを下りきってしまうのではなく、重なり合う次の山へと続く尾根伝いに、再び登り

ミドル以降のキャリアは「稜線歩き」の意識で

人生100年時代を乗り切るには、
二毛作、三毛作のキャリアを築く意識が不可欠!

「下山→再登山」の
イメージ

一度築いたキャリアを下りきって、
まったく別の分野で再スタートを
図るのはあまり現実的ではない

○

「連山の稜線をたどる」
イメージ

一度築いたキャリアの「頂」からは
離れつつ、下りきらずに次なるキャ
リアを開拓していくイメージ

尾根に吹く強い風に流されないよ
う、常に新しい装備(知識やスキル)
を仕入れていくことが大切!

始めるイメージです。

登山に詳しい知人によると、尾根は遮蔽物がないため、想像以上に激しい風にさらされるのだそうです。装備品の消耗も激しいと聞き、その点でも学び直しのイメージに通じると感じました。古い装備のままで、無警戒に進み続けるのは遭難のモト。同様に、知識やスキルもこまめにアップデートすることが必須なのです。

ここまで、いささか危機感を煽る言い方をしてしまいましたが、**学び直しは「今後の人生を楽しくするためのもの」**でもあります。

これから続く長い人生、新しいこと

を取り入れずに生きていたら、確実に退屈してしまいます。定年後もまだまだ動ける健康な心身があるのに、「打ち込めるもの」も「やること」もないというのでは、そのまま向こう数十年、テレビやネットだけを相手にぼんやり過ごすことになりかねません。

また、孤独に学ぶのではなく、気の置けない仲間を探し当てることができたら、さらに楽しくなることでしょう。できれば**「ともに学び直すこと」が理想。それは孤独を防止し、人生の幸福感（ウェルビーイング）を底上げしてくれる**ものなのです。

「何を学ぶべきか」に悩む人のための4つの指標

大人の学び直しには、学齢期の子どもの学びとは決定的に違う点があります。それは、子どもの学びが周囲から教えられ、与えられるものであるのに対し、大人の学びは自発的なものだということ。学ぶ内容や分野も、学ぶ場所や方法も、すべて自分で考えなくてはいけません。

それは、自由である反面、迷子になる可能性もある、ということでもあります。目移りしてしまったり、長続きしなかったり、学びが暮らしに役立たなかったりして、時間とお金が無駄になることも多々。そこで、**「何を・どこで・どうやって」学べばいいか、**その基準と選択肢を紹介しましょう。

まず、何を学んでいいかわからないときは、次の4つの指標の中から、しっくり来たものを選んでいただければと思います。

一つ目は、「好きを活かす」です。人生の充実と幸福のためには、楽しめることをするのが一番。そこに「学び」要素をプラスしていけばいいのです。好きなことをより詳しく深く知ることや、今以上に上達することに挑戦してみましょう。

二つ目は「これまでのキャリアを活かす」です。先ほど出した「稜線」の話を思い出してください。一つの山を下りきって、別の山を一から登り直すやり方は、年齢を考えても現実的とは言えません。

ですから、これまでに培ったスキルと、うまく掛け合わせられるような別分野を探してみるのです。「人事×ＡＩ」「ＩＴ×語学力」のように掛け算になるようなスキルアップを果たせれば、人材としての価値も格段に上がります。

次に、**三つ目は「心残りを成仏させる」**です。若い頃にやりたくてもやれなかったことが、どなたにもきっとあるはずです。そうした心残りを「成仏」させてあげましょう。

役職定年を迎えて時間ができたときなど、まさに再挑戦のチャンスです。

そして、最後の**四つ目は「誰かに感謝される」**です。どんな分野であれ、感謝されることはモチベーションを高めます。ボランティアをしたり、地域の活動を手伝ったりすると、誰かの「役に立つ」瞬間をダイレクトに実感でき、普段の仕事とは違う喜びを得ることができるでしょう。

慣れ親しんだフィールドの外側にあえて踏み出そう

次に、「どこで・どうやって」学ぶかについて。選択肢は数多くありますが、学ぶ内容や目指すレベルによって、合う方法は違ってきます。また、年齢や立場によって難易度が変化するような選択肢もあります。

例えば**「仕事の中で学ぶ」**やり方。未経験の仕事や前例のないプロジェクトなどに、積極的に挑戦してみる方法です。これは本来、キャリアアップに直結する非常に効率的な学び方ですが、ミドルともなると、長年働いた職場で新しい経験をするのは困難になってきます。すでに部下を育てる側になっていることもあるでしょう。

何より壁となるのが「フィードバックを得づらいこと」です。年を重ねるごとに、周囲からアドバイスをもらえる機会も激減します。自ら評価をもらいに行き、助言を取り入れることが可能な環境でなければ、挑戦ができても学びに結びつけにくいかもしれません。

逆に、すぐに実践できる万人にお勧めの方法が「**本を多く読む**」ことです。読書は先ほど述べた「装備のアップデート」にも欠かせません。ぜひ積極的に取り入れてみてください。

本に書かれていることは、いわば著者の経験や思考の結晶です。読書とは、それを自分の中にインストールするための行為なのです。まずは少しでも関心を引かれた本を、何でも良いので手に取って読んでみましょう。多く読むと、その中でしっくり来るもの・来ないものがあるのに気づくはず。それもまた、自分の興味の方向性や適性を知る手立てになると思います。

そして、一つの会社でずっと働いてきた人にお勧めしたいもう一つの学び方が「**越境学習**」です。社外の勉強会やワークショップ、地域の活動などに参加すると、自分の常識が「社内だけの常識」だったことに気づくでしょう。

会社の看板や肩書きが通用しない領域に身を置くことは、時として苦い経験になるかもしれません。しかしその痛みこそ、視野を広げる有意義な学びなのです。

資格取得を目標にするときの2つの注意点

本格的なキャリアチェンジを目指すなら、大学院という選択も一考の余地ありです。私が教える立教大学経営学部の経営学研究科にも、そうしたビジネスパーソンが多くいます。ここでは、人材開発・組織開発のプロフェッショナルをフルオンラインのカリキュラムで育成しており、修士(経営学)を取得することができます。

他にも、関心ある学問を体系的に学びたい方や、これまで得てきた経験や知識を整理整頓したい方にとっても、大学院は大いに適した場所です。

体験したことの持つ意味や意義を理解する、すなわち個別具体的な話を客観的・学問的なレベルで捉え直すことで、今後の仕事もレベルアップすることでしょう。このような具体と抽象を往還できる学び方は、大学院だからこそできることです。

一方で、民間の資格を目指すのもポピュラーな方法です。ただ、こちらについては2

点ほど、気をつけていただきたいことがあります。

一つは、**世間には「取得しても役に立たない資格」が少なからずある**ということ。資格とは本来「他の人とは違うスキル・知識がある」ことの証明なのですから、「誰でも取れます」という触れ込みの資格や「講座を○回受けるだけで認定証が」というような資格は役に立ちません。

この手の資格は、言わば主催団体の懐を潤わせるためのものです。そこにお金を出しても、何も得ることはできませんので注意しましょう。

そしてもう一つは、「**資格は顧客がついてはじめてビジネスになる**」ということ。信頼性の高い資格でも、キャリアに結びつけなければ成果にはつながらないのです。社労士や税理士といった難関資格を取得しても、顧客がいなければビジネスにはなりません。

資格の取得と「自分の売り込み」はセットで考えるべきなのです。自分にどんなサービスができるか、誰をターゲットにすれば良いかなどを考え、戦略的に動きましょう。

せっかくの学びが無駄になる典型的な失敗パターンとは？

こうした「何を・どこで・どうやって」学ぶかを適切に選べてもなお、失敗に終わることもあります。

例えば「孤独な学び」はその典型です。仲間を持とうとせず、一人で黙々と頑張るタイプの勉強は、挫折しやすいうえに、その先のつながりも乏しくなります。一方、誰かと一緒に学べば発見も多く、結果として学習効果もモチベーションも上がるのは明白です。

次に、現状に見合わない、高すぎるハードルを設定してしまうのもよくある失敗です。いきなり無理をしても、まずうまくいきません。ここは「ベビーステップ＝少し頑張ればできる目標」を設定し、一段ずつ達成していくのがコツ。それを繰り返すことで、初めて高い目標に達することができるのです。

また、三つ目として、まったく興味のない分野を選んでしまうのも挫折の原因。この資格さえ取ってしまえば食いっぱぐれない、といった動機だけで学び始めた人は、ほぼ全員がそれを途中で投げ出します。

そもそも、今の社会で「つぶしが効く」なんて幻想です。現代社会ではそんな技能も職業も存在しません。「イリュージョン（幻想）」から早くさめて、地道に動き出しましょう。

最後に挙げるのは、学んだ「だけ」で終わるパターン。前述の「資格を取っても顧客がいない」話もそうですが、もっとカジュアルな学びでも、そうしたことは頻繁に起こります。「社会人向けの学習コンテンツサービスの動画を視聴したものの、そのあと何もせず、そのうち学んだ内容も忘れていく」といったケースなどはその典型です。

学んだらすぐ実践、アウトプットの習慣を身につけよう

では、そうならないためには何が必要でしょうか。その答えは至極シンプル。**学ぶ前に「これは何をするために学ぶか」という目標を設定し、学んだらすぐにそのアクションを実行する**こと。これで、成果をすぐに実感することが可能になります。

このアクションは小さなことで構いません。例えば機械学習なら、少し知識が増えてきた段階で試しに手持ちのデータを分析してみる、というようなことで良いのです。自分の手で結果が出るのは嬉しいものですし、それによって学ぶ意欲もさらに向上していきます。

また、人に役に立つアウトプットならさらにベターです。立教大学大学院の事務局スタッフのチームが、このやり方で実際に素晴らしい成果を上げています。

彼らは「ノーコード」（プログラミング言語を使わずにソフトを開発できる技術）を学び始め、自分たちの業務を見直し、効率化を果たしています。

その結果、事務関連の作業が目覚ましく簡便化されたのです。面倒だった受講生のデータまとめや面談内容の記録が簡単になり、皆の作業時間も激減。事務局のスタッフには心から感謝をしています。

このように**「学んだら即、アウトプット」の習慣こそ、好循環の源**です。成果を実感できる嬉しさから、さらに学びたくなる意欲が起こり、その先でさらに役立てたくなる。この繰り返しの中でこそ、学ぶ人はたゆみない向上と、充実感を得られるのです。

PROFILE

なかはら・じゅん●1975年、北海道生まれ。東京大学教育学部を卒業後、大阪大学大学院、マサチューセッツ工科大学客員研究員、東京大学准教授などを経て、2018年より現職。企業や組織における人材開発・リーダーシップについての研究を専門に扱う。『働く大人のための「学び」の教科書』（かんき出版）など著書多数。近著に『話し合いの作法』（PHPビジネス新書）がある。

大学院への挑戦により、自分の思考の「軸」が固まった
——俳優業、国際協力NGOの活動から、研究の世界へ

酒井美紀

俳優、㈱不二家 社外取締役

1990年代にドラマ「白線流し」でブレイク。以来、数多くの作品に出演してきた酒井美紀氏。そのかたわら国際協力NGOの活動に長年携わり、2019年には大学院に進学。21年には老舗菓子メーカー・不二家の社外取締役に就任した。俳優とは畑違いの分野にも活躍の場を広げる酒井氏が大学院の「学び」で得たものとは？

仕事を通じて大きくなった「疑問」と向き合うために

――2019年に40歳で大学院に入学し、昨年末には修士論文も書き上げられたとうかがいました。かなり前から大学院進学をお考えになっていたそうですが、進学を決意されたきっかけを教えてください。

酒井　実は、最初に考えたのは2007年だったんです。テレビの取材を機に交流が始まった国際協力NGOから、親善大使のオファーが舞い込み、この機会に国際協力について本格的に学ぼうと思いました。

でも、いざ調べてみると、やはり仕事をしながらでは厳しいかな……と。結局、そのときは「独学でも学ぶことはできる」と思い断念。その後しばらくは、特に大学院のことは頭に浮かびませんでした。

ただ、国際協力関係の仕事はその後も増え、その「現場」に赴いた経験も蓄積していきました。貧困や格差といった社会課題を実際に見るうちに、自分の中に「なぜ、世界中でこうした問題が起こっているのか」「世界中の国際機関やNGOがこれほど努力しているのに、解決が見えず、むしろ課題が増えているようにすら見えるのはどうしてか」といった疑問が生まれてきたんです。こうした疑問が育つ中で、格差や貧困、教育問題といった一連のトピックに大学院で向き合うことを、再び考え始めました。

――大学院での研究は、仕事の中で見つけた疑問に、腰を据えて向き合う手段だったんですね。

酒井　はい。実は、この研究には30年間の役者生活で得た経験も活きています。演技や演劇は、一般的にはエンタメの一分野だと思われていますよね。もちろんそうした要素も大きなものですが、演劇には社会学・教育学的な側面もあります。演劇を教育に応用して社会課題にアプローチしていく、「応用演劇」と呼ばれる取り組みもその一つです。

――演劇を教育に活用……非常に興味深いトピックです。

酒井　始まりは、うちの子が小2のときに、学校から学習発表会の演技指導を頼まれたこと。でも、自分でやるのと教えるのとでは、まるで違う話ですよね(笑)。そこで、どうしようかと演劇の本を読み漁るうちに、偶然にも応用演劇を扱った本を見つけたんです。「自分がやってきたことが、こんなふうに研究されているのか」と驚きましたが、思い返せばNGOの現場でも、教育に演劇が取り入れられている場面を見たことがありました。そこで、これはちょうどいい、と。

——俳優業と国際協力という2つの道が見事に交わったのですね。

酒井　そうなんです。私がやってきたことを、大学院で全部体系的につなげてしまおう、という考えもありました。そこで「国際協力に、応用演劇を活用する方法」という研究テーマが定まったんです。そんな中で子育ても一段落し、今が頃合いだろう、と進学を決めました。

大学院は、教わる場ではなく、各々が自分の研究を進める場

——しかし、入学後1年も経たずコロナ禍に。大変だったのでは？

酒井　そうですね。元々は国際協力への思いで始めた研究なので、途上国でのフィールドワークを計画していました。ところが、急に日本を出られなくなってしまって……。仕方なく研究計画を変え、似たような研究を、日本をフィールドにやることにしました。日本にも格差や貧困といった課題は依然として残っていますし、応用演劇はボーダーレスな手法。まずは日本で研究し、それを国際協力でも使えるように調整すればいい

と考えました。

――実際に入学してみて、大学院で学ぶのは大変でしたか？

酒井　とにかく自分で動かなければ、一切何も始まらないのが大学院。これが大変でした。大学院は教わる場ではなく、あくまで研究機関です。つまり入学後は「じゃあ、自分の研究をしてくださいね」という場。自分で文献を読み解き、考えを深めることがすべてと言ってもいいくらいで、教授も私の研究について具体的な指示はしてくれません。「今、自分はこういうことを調べていて……」と相談すると、それについてのアドバイスはくれますが、とにかく自分から食らいついていかないと、何の成果も得られない、という感じです（笑）。

――そこまで違うとなると、入試も大学の学部までとは相当違うものと考えたほうがいいですね。

酒井　入試は「研究計画書」を出したうえでの面接と小論文でしたね。研究計画自体について突っ込まれるのはもちろんですが、それ以外の質問もありました。例えば「あなたはどんなふうに本を読むか？」とか。

――どういう意味でしょう？

酒井　例えば、小説を読むときは最初から最後まで、丁寧に読みますよね。でも、研究では膨大な量の文献を読まざるを得ない。全部を隅々まで読んでいたらとても時間が足りません（笑）。入学前に、どこを読んでどこを読まないかの取捨選択ができなければいけない、ということを示唆していただいていたのだと思います。私は小説が好きなの

大学院は「教わる場所」ではない！

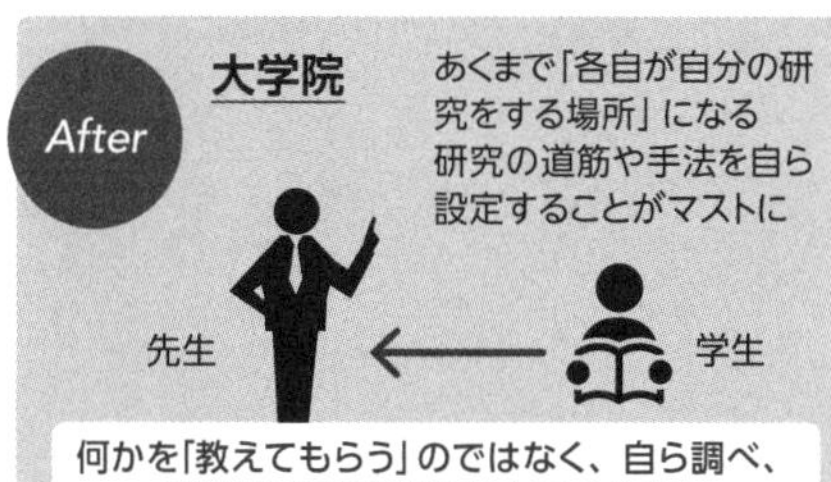

何かを「教えてもらう」のではなく、自ら調べ、考え抜いて答えを見つけるつもりで

酒井流
自分に合った大学院の見つけ方は？

Step 1　自分の研究したいテーマに合う「教授」を探す

「社会学」「心理学」のような大カテゴリではなく、自分が興味あることに最も近い専門を持つ教授を探そう

Step 2　「科目等履修生」としてお試し通学

●科目等履修生とは？（酒井氏の通う大学院の場合）

- ●1科目2万円から受講可能
- ●入学金もナシ
- ●受講中の待遇は本科生と同じ

ステップ1で絞り込んだ教授がどんな人か確認しつつ、自分の研究したいものを先にアピールしておこう

で、面接では「最初から最後まで順に読みます」と答えましたけど（笑）。

現実的に通える「環境」かどうかを見極めよう

酒井　それと、確認されたのが「本当に通えるんですか？」ということ。入学後に聞いてみると、これは全員同じことを聞かれていたようです。熱意はみんな当たり前に持っているのですが、現実的に勉強できる環境にあるかどうか、学校側も気になるところなのだと思います。

――なるほど。職場の理解をどう獲得するのか、仕事の繁忙期をどうするのかなども影響しますよね。

酒井　私が受けていた講義は夕方6時半からスタートで、職場の立地によっては定時退社でも間に合うかどうか微妙な時間帯。実際、毎回遅れてくる人もいました。遅刻そのものはNGではないのですが、その回の発表者が仕事で急に欠席となるとさすがに困ります。だから「通えるの？」と聞かれるわけです。

また、私の軸の一つ「応用演劇」は、イギリスなどでは研究が進んでいますが、日本ではほとんど手つかずの分野。先生方も「国際協力」の専門家がほとんどです。そんな分野を一人でどのようにリサーチしていくのか、という計画についても、かなり色々と質問されました。

機械翻訳などの「学びのツール」の進歩が追い風に

——日本ではマイナーな分野となると、外国語で文献を読む機会も多いのでしょうか？

酒井 そうですね、先行研究には外国語のものもあります。でも、今の時代、ほとんどの外国語は機械翻訳でざっくりとした意味を理解することができます。これは非常にありがたいこと。外国語の論文や資料を研究に落とし込むことのハードルはかなり下がっていると思います。

ツールの普及や進歩という観点では、コロナ禍でリモート講義が増えたことで、社会人大学院への出願が急増したという話も聞きますよ。

——技術の進歩で「学び」にも追い風が吹いているんですね。研究というと、やはり論文を仕上げるのですよね。修士論文の分量はどの程度でしたか？

酒井　院によっては文章の量が決まっているところもあるようですが、私の場合は先生と相談して決めました。全体では10万字超。国際協力と応用演劇という2分野をまたぐ学際研究なので、どうしても文章の量が多くなってしまったんです。

――まさに本1冊分ですね。並大抵の苦労ではなかったのでは。

酒井　いやもう、想像以上に大変でした(笑)。元々興味のある分野ですから、これまでの経験を通じて考えていることはたくさんある。ただ、それを人に伝えるには上手に言語化していかないといけません。特に、論文ならではの論理展開に落とし込むのにかなり苦労しました。

情熱あふれる仲間からの指摘と励ましが一番の利点

――大学院での学びには困難も多いと思いますが、挑戦する価値はどんなところにあるのでしょうか。

酒井　一番は、他の人の視点に触れられること。例えばゼミで発表すると、自分の研究について、他の院生や先生からけちょんけちょんに言われることもあります(笑)。

でも、自分が気づかない部分への指摘にはハッとさせられることが多く、研究を掘り下げる大きな燃料になるもの。研究と関係ない講義でも同様で、新しい視座を獲得し、考えるきっかけを得られる点が、大学院のいいところだと思います。

それに、社会人になって大学院で学ぼうという人は情熱もすごい。非常に刺激をもらえます。各々自分の研究がありますから、同じ課題のもと競争をしている「ライバル」ではないというのも大きいです。

――やはり、仕事とは違う「つながり」ができるのが、大学院の一つの魅力なんですね。

酒井 そうですね。研究って、いくらやっても進んでいないような気がするんですよ（笑）。自分では深掘りしているつもりでも、停滞しているだけかもしれない。でも、院生仲間に「そこまで進んだんだ、すごいね！」と励まされると、とても救われる。ハードワークだからこそ、とてもいい仲間ができるんです。

――院にいらっしゃる方の年齢層や職種はどのようなものだったのでしょうか。

酒井 仕事と関連する研究をされている方が多いという傾向はありますが、属性は多種多様です。年齢も20代から60代までと幅広く、最も多いのは50代。40歳で入学した私は、年齢的にはやや下のほうでした。

私もそうですが、働いている中で疑問や研究したいことが出てきて、その問題を持って大学院に入ってくる。色んな方がそれぞれの人生で得た課題を携えてやってくるわけですから、それだけでも非常に面白い場所だと思います。

研究生活で身につく「新しいもの」を生み出す力

――専門知識や研究成果などと別に、仕事や生活に活きるような能力も身につくのでしょうか？

酒井　そうですね……その点では、物事を客観的に見つめる力はついたと思います。物事をいったん抽象化して、具体的な物事と結びつけるスキル、というか。自分の思考の「軸」が固まったと思います。特に私が学んだのは社会学ですから、俯瞰的な視点で様々な集団を見ていくのですが、この視点は非常に汎用性が高いですね。２０２１年に就任した「不二家」社外取締役の役目を果たすうえでも役立っています。

――と、言いますと？

酒井　私の役割は経営全般に対する客観的な意見を述べることですが、主に求められるのは、CSR（企業の社会的責任）のような社会貢献事業についての意見です。そして、企業がやろうとしていることの中には、たいてい自分の研究の中で見てきた様々な事例と「構造」面で共通するものがある。すると、「過去にこういう事例があるので、A案をやるとしたらこれが不安要素です」といった意見が出せる。現実の問題に対し、確固たる意見を出すための根拠を持てるんです。コロナ禍の影響で研究対象を途上国から日本にしていたことも、ここではむしろプラスに働きました。

それに加え、研究とは、これまで研究者たちが明らかにしてきたことに、さらに何か新しい知見を加えるものですよね。つまり「新奇性」がないといけないんです。院で学ぶからには、新しいものを生み出さないといけない。そんな中で数年過ごすと、自然に「新しいもの」を生み出せる脳になります。これも、応用しやすいスキルではないでしょうか。

まずは「科目等履修生」で講義を体験しよう

――最後に、大学院入学を目指す人にアドバイスを。

酒井　まずは、大学院探しですよね。もちろん「自分が何をやりたいか」が最も大切ですが、それを「社会学」などの漠然としたカテゴリでくくらないことが重要です。その分野の中でも、特に自分がやりたいことに近い研究をしている研究者（つまり先生）がいる大学院を探しましょう。

それと、本格的に大学院入学を目指す前にぜひお勧めしたいのが、「科目等履修生」制度の利用です。院の講義を科目ごとに履修するもので、入学しなくても大学院の本格的な講義を体験できます。大学にもよりますが、入学金不要・数万円程度で大学院の講義を90分×14コマ体験できるんです。しかも講義では正規の大学院生と同じように扱われ、発表の順番も回ってきます。

また、修士課程を修了するには論文の他にもう30単位ほどの履修が必要なのですが、科目等履修生のうちに取った単位も、本科生として入学した後の修了単位に含めることができるんです。

――確かに、それなら挑戦しやすそうですね。

酒井　私の仲間もほとんど「まずは科目等履修生から」というパターンでした。まずは学びたい分野の講義に触れ、先生と話してみることをお勧めします。入学前に「自分の研究したいこと」を先生に知ってもらえることも大きな利点ですし。

大学院は、私のように甘い考えで入るとすごく大変(笑)。それなりの覚悟は必要ですし、時間やお金もある程度はかかります。でも、その分だけ自分の視野は広がりますし、人生は豊かになると思います。環境が許すなら、ぜひチャレンジしてみていただきたいですね。

PROFILE

さかい・みき●1978年、静岡県生まれ。亜細亜大学経営学部卒。93年に歌手としてデビュー後、95年の映画『Love Letter』に出演。96年のテレビドラマ「白線流し」の主演を務めたことで一躍ブレイク。以後、現在まで多くの出演作がある。日本アカデミー賞新人俳優賞など受賞歴多数。2007年からは、国際協力NGO「ワールド・ビジョン・ジャパン」の親善大使も務めている。19年に大学院入学も果たした。21年には㈱不二家の社外取締役に就任。

大学院での「学び」が拓いた引退後の人生

――ゼミ仲間との濃い議論から得られたものとは

二所ノ関 寛

元・第72代横綱稀勢の里

人気と実力を兼ね備えた名力士として名を馳せた、元横綱・稀勢の里の二所ノ関親方。引退後わずか1年余りで大学院へ入学。修了後は、部屋を故郷の茨城県に開設。その後も先進的な部屋運営で、角界に新風を吹き込む存在になっている。「人生を左右する体験だった」と語る大学院で、親方は何を学んだのだろうか。

最初は「学び直し」など考えてもいなかった

――横綱・稀勢の里としての現役生活に終止符を打たれたのが2019年。その翌年には、早々に早稲田大学大学院に進学されましたね。「学び直し」は、かねてからのご希望だったのですか？

二所ノ関　いいえ、実は当初まったくそんな気はなくて……。当時は田子ノ浦部屋の部屋付き親方として、指導者への第一歩を歩み出したばかり。学び直しなど、思いもよらないことでした。

――意外なお答えですね。では、何がきっかけで大学院へ？

二所ノ関　とあるご縁で、スポーツチーム経営の第一人者である早大の平田竹男教授とお話しをする機会を得たことがきっかけでした。

教授は日本サッカー協会の元専務理事で、Jリーグ創設にも尽力された方。そこで、以前から気になっていた疑問をぶつけてみました。

それは「なぜサッカーには『ドラフト』がないのか？」ということ。興行的に考えても、オフシーズンに大きな話題を作れる野球のドラフト会議は画期的だと思っていたんです。返ってきたお答えは、とても興味深いものでした。育成の方法がそもそも違うんですね。野球の場合は中高、ときには大学までずっとアマチュアで育ち、最後に球団が高額な契約金でプロ契約をする方式。対してサッカーは、各クラブがジュニアのうちからコツコツお金をかけて有望株を育成する方式だ、というのです。

――サッカーは、子どもの頃からの長期投資なのですね。

二所ノ関　はい。そして、サッカー界のそのスタイルは、大相撲にも非常に適していると感じました。まずは幼少期からプロの相撲に触れてもらい、早いうちから興味を持ってもらう。そしてやがては、身近なプロの力士たちに学びながら、スキルを積んでその子も力士に――そんな道筋を作れたら、相撲界の発展にもつながるはず。そこで、スポーツにおける経営を学んでみたいと思ったのです。

――やはり、ご自身の部屋を持ったときのことも視野に入れて?

二所ノ関　いえ、当時はそれも全然意識していませんでした。いつかは、とは思いつつも、具体的なビジョンはなく。結局のところ、最大の動機は「ビビッときた」ですね。ほぼ直感だけです(笑)。

PCスキルゼロから学びに挑戦、修了時は「最優秀論文」

――2020年、修士課程に入学され、平田教授のゼミへ。親方業との両立は大変だったのでは？

二所ノ関　その点では、僕はかなり恵まれていました。部屋付き親方は、朝の稽古さえ終われば、あとはかなり自由です。講義を受けたり、予習復習したりする時間は十分に取れました。

その年から、コロナ禍で「飲みのつきあい」がなくなったことも追い風でしたね。夜の時間を学業にフルで使えましたから。

――では、ご苦労はほとんどなかったのでしょうか。

二所ノ関　いえ、何度も「もう辞めようかな」と思いましたよ(笑)。

――これまた、意外なお答えの連続ですね(笑)。いったいなぜ？

二所ノ関　やはり、他の学生さんたちとは出発点がまったく違いますから。例えば、それまではまったくパソコンの経験がなく、WordやExcelすら初めてだったんです。でも、授業は学生がツールを使いこなせる前提で進みます。毎日、ついていくだけで精一杯でした。

――そんなスタートでも、修了時には修士論文が「最優秀論文」に選ばれるほどに。飛躍的な成長の原動力は何だったのでしょう？

二所ノ関　やはり、最も大きかったのは平田教授のゼミですね。ゼミでは毎回、先生が決めた課題が出されます。それに対して2週間でレポートを書き上げ、各自発表し、みんなでディスカッションをするのですが、その中に非常に刺激を受けた課題があったんです。その経験が現在の僕を生み出していると言っても過言ではありません。

「相撲部屋を茨城に作る」という画期的な発想

――非常に大きなご経験ですね。どんな課題だったのですか？

二所ノ関　6人のゼミ生に「もし自分が稀勢の里だったら、どのような相撲部屋を作りたいか』というテーマが出たんです。ゼミ生は、経営者やキー局のアナウンサーなど、現役の第一線で活躍されている方ばかり。その方々が全員、申し合わせたかのように「茨

二所ノ関親方の「学び直し」年表

現役時代　2002年〜

2004年　新入幕
2012年　大関昇進
2017年　初優勝・横綱昇進

とにかく
「自分の技術向上」
「自分の勝ち負け」
が大切だった時期

部屋付き親方時代　2019年〜

親方として

- 稽古場での力士への指導
- 師匠不在時の練習監督代行

➜ 指導者としての基本を会得

大学院で

- ゼミでの課題や議論をこなし、第三者の視点や価値観に触れる
- 「相撲部屋経営」についての論文を執筆し、スポーツチーム運営に対する様々な知見を獲得

➜ 「こんな部屋を持ちたい」「角界をこうして盛り上げたい」という意欲、ビジョンを醸成

部屋持ち親方時代　2021年〜

2021年　8月　荒磯部屋として独立、茨城へ
12月　年寄「二所ノ関」を襲名、部屋名も「二所ノ関部屋」に

★大学院で得た知見が大きな刺激となり、異色の部屋運営の原動力となっている！

弟子の「人生」に責任を持つ師匠として、創意工夫を重ねながら後進の指導に取り組む城を拠点に」というプランを立ててきて……。これには非常に驚きました。茨城は僕の故郷ではありますが、角界では「部屋＝東京か、遠くても神奈川・千葉・埼玉」が普通ですから。恥ずかしながら、当時はそこに部屋を作るという発想自体がありませんでした。

――皆さんが茨城を推された理由は何だったのでしょう。

二所ノ関　一番は、やはり「稀勢の里」の地元から強い応援が得られる、という点でした。言われてみれば、初優勝の際に行なった凱旋パレードには、牛久市の人口とほぼ同数の方が集まってくださった。そんな場所に親方として戻り、地元を盛り上げ、愛される力士を育てる。それは確かに心躍る将来像でした。

それに加え、茨城は「ブルーオーシャン」だ、という意見もありました。都内はもう部屋が飽和状態で、新たに地元から応援を得ようにも、エリアが非常に限られます。そのうえ、地価も何もかも高額。でも茨城ならスポンサーも開拓し放題だし、十分に広い土地が確保できる。これは確かに大きな可能性があるな、と私も思いました。

――親方自身の意識にも、転換が起こったのですね。

二所ノ関　その通りです。先ほど「部屋経営のビジョンはなかった」と言いましたが、この授業を境に「こんな部屋を作り、運営したい」という思いが俄然湧いてきました。

実際、現在僕が運営している二所ノ関部屋には、そのときのアイデアが、いくつも具現化されています。

「カマボコ力士」をなくすための「複数面土俵」の採用

――ぜひ、そのアイデアについてお聞きしたいです。

二所ノ関　まず筆頭格は「複数面土俵」です。ほとんどの相撲部屋には土俵が一面しかありませんが、うちには二面あります。

理由は主に二つ。第一には効率性です。相撲界には「カマボコ力士」という言い回しがあるんですね。稽古中、土俵上で二人の力士が組んでいるのを、近くで立って見ている――つまり、カマボコよろしく部屋の壁板に張りついたまま練習できずにいる力士を指したものです。土俵が複数あれば、カマボコの時間がぐっと減ります。

――とても合理的ですね。二つ目の理由についても教えてください。

二所ノ関　二つ目は、相撲の普及を考えてのことです。きっかけは、鹿島アントラーズさんの練習場にも複数のピッチがある、と知ったことでした。

現役選手とジュニア選手が日々隣同士で練習するなんて、ジュニアの子たちにとって素晴らしく刺激的な環境。そしてチームにとっては、それが効果的な「宣伝」になるのだそうです。その子が学校などで「あの選手と一緒に練習しているんだよ！」と言えば、他の子も集まってきますから。

同様に、二所ノ関部屋でも子どもたちと力士が日常的に触れ合う機会を増やせればと考えています。空いた時間に、現役の力士が隣の土俵にいる少年に胸を貸す。これはぜひ実現したい光景です。全国から茨城に、相撲に魅力を感じる子どもたちを集められたら最高ですね。

現役時の学びが生んだ二所ノ関流・食事術

――食事の摂り方にも、「二所ノ関部屋流」があるそうですね。

二所ノ関　はい。普通、力士の食事は一日に二食なのですが、うちでは三食。二食ではお腹が空いてしまうし、スタミナも続きません。ケガのリスクも跳ね上がります。

これは現役時代、大胸筋などを断裂して長く休場していた時期に学んだのですが、筋

大学院での学びが育んだ
アイデア満載の部屋運営

❶ 稽古用の土俵を「2面」作成

大半の部屋では土俵は1面のみ。2面にすることで効率良く稽古に取り組める他、地域交流への活用も可能に

❷ 角界では珍しい「一日三食」を導入

稽古の効果アップとケガ防止のため、早朝の稽古を撤廃して朝食をしっかり摂らせるように

❸ 稽古場にカメラとモニターを設置

リアルタイムに稽古内容を確認できるように

実際の練習風景を見ながら、施策を軌道修正することも

→ 試行錯誤ののち、集中力を維持するべく「リアルタイム」は取りやめ、後から見返す形式に

大学院で得た「第三者」からの意見などをもとに、親方の作りたい、先進的な相撲部屋が出来上がりつつある！

⬆大学院での「学び」の象徴とも言える2面土俵。稽古の効率アップは常に意識しているという

⬅二所ノ関部屋の建物外観。爽やかな青緑色の屋根が印象的だ

写真提供：二所ノ関部屋

肉は運動によって削られるものだそうです。筋肉を成長させるには、その削れたタイミングで十分な休息と栄養を与えることが肝心なんですね。ところがアスリートは運動量過多になりやすく、筋肉が摩耗するばかり――すると、ある日バチンと切れて、取り返しがつかなくなってしまう。これは絶対に避けなくてはいけません。

――そのために、こまめな栄養補給が必要なのですね。

二所ノ関　はい。中でも大事なのは「朝から」しっかり栄養を摂ることです。ですから、しっかり朝食を摂れるよう、稽古の開始時間は9時と、他の部屋よりかなり遅くしています。

4時や5時といった早朝からやらせても、あまり効率は期待できません。身体のことを考えても、しっかり眠り、栄養豊富な朝食をちゃんと摂ったほうが良いはず。代わりに9時から11時に、みっちり中身の濃い稽古をします。朝食のおかげで集中力も高く、二面の土俵のおかげで無駄な時間も生じません。

――個々のアイデアを組み合わせて、相乗効果を生んでおられるのですね。素晴らしいです！

二所ノ関　ありがとうございます。ただ、当初のアイデアを修正した例もあります。

例えば、稽古場にビデオカメラとモニターを設け、フォームや稽古内容をリアルタイムにチェックできるようにする計画。期待していたんですが、いざやってみると、映像に気を取られ、集中が続かなくなってしまって。そこで、今はiPadなどで撮影しておき、稽古後に振り返る形式に変えています。

「強くて、しかもお客が呼べる」力士を育てていきたい

――親方の手法は、角界ではどう受け取られているのでしょう。

二所ノ関 うーん……さほど風当たりが強いとは思いません。もちろん、「茨城なんて、遠すぎて出稽古に行き来しづらいだろう」など、ネガティブな意見もありますけどね。そうは言っても都内までせいぜい1時間程度ですが(笑)。

とはいえ、やはり部屋の力士が弱くては、新しいことを続ける説得力がないのも事実。僕がすべきは、とにかく強い力士を早く育てることだと思っています。強く、そしてお客さんを呼べる力士を輩出し、相撲人気を押し上げられたら、もっと理解してもらえるでしょう。多少移動が長くても出稽古に行こう、と思ってもらえるような部屋にしたい

です。

——親方はまさに「強くてお客さんを呼べる力士」でしたね。そこには強さだけでない、人柄の魅力もあったように思われます。

二所ノ関　現役時代は「寡黙」なイメージだった、と今もよく言われます。でも、あれは師匠から「余計なことをしゃべるな」と言われていた、という面も……言い訳したいときもたまにはありましたよ(笑)。

でも、そこに惹かれてファンになってくれた方が多かったのも事実。相撲に対するストイックな姿勢、言い訳しない潔さ。師匠はそういう「ブランディング」をされていたんだと今ならわかります。自分も、指導者としてそういう視点も持っていければと思います。個々の弟子たちにはもちろん、相撲界についても同様です。

——相撲界に対しては、どんなイメージを持ってもらいたいですか？

二所ノ関　やはり欲しいのは「横綱・大関は本当に強い！」というイメージですね。今は少々、幕内力士全体の力量が似た感じになっているのが少し惜しい。やはり、特別に強い上位陣がいて、そこへ番付が下の力士が次々挑んでいくのが大相撲の醍醐味。気鋭の若手やいぶし銀のベテランが人気を集めるのも、たまの平幕優勝で盛り上がるのも、その構図があってこそだと思います。

指導者、経営者になって訪れた視点の変化

――現役時代と現在とで、角界の見え方は変わりましたか？

二所ノ関　それはもう、ガラリと変わりました。昔は「自分がいかに強くなるか」しか見えていませんでした。それが今は、何人もの弟子の人生を預かり、相撲界を発展させる責任をも担っているんです。視野は何倍にも広がりました。

といっても、もちろん勝ち負けだって大切。実は今、弟子が勝つ嬉しさ・負ける悔しさを、かつての自分自身のそれより強く感じます。それこそ、弟子が負けたら代わりに自分が相手を打ち負かしてやりたくなるくらい(笑)。不思議ですね。

――寡黙な現役力士から、親心あふれる指導者になられたのですね。導き手として「こうありたい」と思う姿はありますか？

二所ノ関　僕が若い頃は「一言われたら、十察しろ」という指導スタイルが主流でした。でも、僕は十どころか、二十くらいにかみ砕いて伝えるようにしています。相撲の

稽古には「なぜこんなに四股ばかり踏まされるのか」など、一見意味のわからないことが多々ありますからなおさらです。

でも、実は基礎の反復こそ強さの基盤。僕自身、基礎運動を心底「楽しい」と思えるようになった時期にやっと綱を取れました。だからこそ、弟子たちにもまずは基礎運動の意味を伝え、とことんそれに取り組ませます。その大切さを理解できたら、きっと格段に成長することができると思うんです。

――部屋の経営で、心がけていることがあればお聞かせください。

二所ノ関　まず、地域交流を大事にしたいです。地元の皆さんと深くつながり、相撲の迫力や面白さを伝えられたら嬉しいですね。

それに、同じ茨城にあるスポーツチームとの交流も深めたいです。運営ノウハウを共有していけば、地域全体の活性化にもつながるはず。バスケットボールの「茨城ロボッツ」の社長さんとは、さっそくＳＮＳでつながっています（笑）。

――ネットワークが次々にできて、これからが楽しみですね。

二所ノ関　はい。もうすでに、数年前まで想像もしなかった場所に立っています。その始まりは「大学院に行こう」と考えたこと。そこにたまたま条件が重なって時間が生まれ、ゼミでの濃い議論から「茨城に部屋を作る」という道が開けました。
僕の「学び直し」は、いくつもの偶然と転機に満ちた、まさに人生を左右した体験だったと思います。

PROFILE

にしょのせき・ゆたか●1986年生まれ、茨城県出身。2002年、中学卒業後に角界入りし、04年に異例の速さで新入幕。10年、63連勝中だった横綱・白鵬に土を付け、一躍脚光を浴びる。12年に大関に昇進し、17年に初優勝、第72代横綱へ昇進。19年初場所後に現役引退。20年、早稲田大学大学院スポーツ科学研究科に入学し、21年修了。同年8月に荒磯部屋として独立。同年末に年寄・二所ノ関を襲名し、部屋名も「二所ノ関部屋」となる。22年6月に茨城県稲敷郡阿見町で部屋開きをした。

第1講で『THE21』編集部が学び得た
「学び直し」力を高める4つのコツ

▼「インプット」と「アウトプット」を意識して行動する

若者と同様のインプットは必要ない。年齢に応じた学びにより、自らの専門能力を高めて、アウトプットで勝負しよう。

▼本当に興味のあることを知る

興味のないことは結局、身につかない。自分が本当に学びたいことを求め続ける。なすべきことが見つかったら、突き詰めていく。

▼これまでの経験を生かす

今までやってきたことは、学び直しに必ず生きる。過去を見つめ直し、自分の経験を土台として、これからの時代に挑戦していく。

▼ともに学び、励まし合える仲間を作る

独りで学ぶ時間も必要だが、同じ志を持つ仲間がいると長続きする。良き交流は新たなビジネスの創造にもつながる。

第2講

「何を」「どこで」学べばよいか

——40代・50代からの「学び直し」超入門

「生涯現役」を前提に自らのキャリア戦略を立てよ

――20年先も食べていける「専門性」の磨き方

弁護士、国際経営コンサルタント
植田 統

「人生100年時代は学び直しが必須」と言われても、「自分はきっと逃げ切れる」と考えてしまうミドル世代――。しかし現実はそう甘くない。危機が間近に迫る中、植田統氏は、外資系企業等でキャリアを積みながら54歳で弁護士になったという自らの経験をふまえ、「学び直しにはまずキャリアビジョンを描くことから始めるべき」だと説く。

専門性なき団塊ジュニアにリストラ危機が迫っている

私は今後4~5年以内に、中高年のリスキリング、学び直しの必要性がかつてないほど高まると考えています。背景にあるのは、日本型雇用の崩壊と大リストラ時代の到来、そして日本人の長寿化です。

年功序列や終身雇用を前提とする日本的なメンバーシップ型雇用はすでに限界を迎え、日立製作所や富士通といった日本を代表する大企業までが、米国流のジョブ型雇用の導入を進めています。

ジョブ型雇用とは、職務記述書(ジョブ・ディスクリプション)を用いて仕事の内容を明確に定義し、それに合う人を採用するシステムで、報酬は能力と成果で決まります。つまり高い専門性を持つ人だけが稼げる仕組みで、**「私は○○の専門家です」と言えるスキルがなければ仕事を得ることさえできません。**

新卒で一括採用され、人事異動を繰り返して様々な職務を経験しながら、ジェネラリストとして育てられた日本のサラリーマンは、このままでは仕事を失うことになる。だから専門性を養うための学び直しが必要になるわけです。

とはいえ、日本でジョブ型雇用を導入している企業はまだ一部であり、40代や50代の人にとってはどこか他人事のように感じられるかもしれません。しかし実は**ミドル世代の会社員こそ、危機が間近に迫っている**のです。

2025年には団塊ジュニア世代の大半が50代に到達します。彼・彼女たちはメンバーシップ型雇用において人件費が最も高くなる年代であり、専門性を持たないジェネラリストのまま30年近くを過ごしてきたために、近年の技術革新やグローバル化などの変化に適応できなかったグループでもあります。

よって企業は人件費削減のため、団塊ジュニア世代を対象とした早期退職や希望退職などのリストラを加速させるでしょう。わずか2年後には、これが現実の世界になるのです。

日本では出世するほどスキルが失われていく

この危機を乗り切ったとしても、すぐに次の危機がやってきます。少子高齢化による労働力不足や、長寿化に伴う年金支給開始年齢の引き上げなどを背景に、２０２１年４月に改正高年齢者雇用安定法が施行され、企業は従業員が70歳になるまで就業機会の確保に努めることが必要となりました。

しかし、企業側としては、雇用延長による人件費の負担を避けたいのが本音です。よってほとんどの会社では60歳を定年とし、その後は非正規として再雇用されます。給与は半分になり、年下の上司のもとで平社員として働くことになるのです。すると、出世した人ほどこの落差に耐えきれず、会社を辞めようかと考え始めます。

そのとき「私の専門性を高く買ってくれる会社に転職します」と言えればいいでしょう。ところが残念ながら、**日本のサラリーマンの多くは武器となる強みを持っていません。**

「そんなことはない。自分は管理職や役職を経験したので、リーダーシップやマネジメントスキルが身についている」と思うかもしれません。しかし日本の会社でマネジメント層が何をしているかといえば、ほとんどが調整と指示出しです。上司とうまく付き合い、部下に「これをやれ」と伝えれば、周囲が動いてくれるので、とりあえず仕事は回る。そこに特別なスキルは要求されません。

社内で偉くなるほど自分では手を動かさなくなるので、むしろ専門性はどんどん失われていきます。そのまま役職定年や定年を迎えた人が、いざ転職しようと思っても、スキルがない人を買ってくれる会社はないのが現実です。

私自身が60代半ばになってよくわかったのですが、**ビジネスパーソンのキャリアで一番差がつくのは60歳を超えてから**です。この年代になって転職や独立ができるのは、「私は◯◯の専門家です」と言える人だけ。たとえ自分の会社がまだジョブ型雇用ではなくても、外の世界へ出て収入を得ようと思ったら、何らかの専門スキルを磨いておくことが不可欠です。

学び直しを始める前にまず考えておくべきこと

では、現在のミドル世代がこれから先も仕事に困らないために何を学び直すべきか。その答えを見つけるには、「**そもそも何のために学び直すのか**」を考える必要があります。

実は日本人の場合、「学んで終わり」の人が少なくありません。私の周りにも、人気資格と言われる米国公認会計士や中小企業診断士の資格を取得した会社員が何人もいますが、その後も同じ会社で同じ仕事を続けています。身につけた専門性を実践することなく、勉強しただけで終わってしまうのです。

　これは日本人がリスクを嫌う傾向が強いためだと考えられます。だから勉強はしても、新しい仕事や環境にチャレンジするのを恐れて、結局は現状維持を選んでしまう。

　しかし、それでは何のために学び直したのかわかりません。「学びを自分のキャリアや人生にどう活かすのか」という視点がなければ、勉強に費やした時間と労力が無駄になってしまいます。

　よって**学び直しをするなら、まずはキャリアビジョンを描くことから始めるべき**です。将来なりたい自分をイメージしたうえで、「目指すビジョンを実現するにはどのような専門性が必要か」を考え、学び直す領域や分野を定める。この順番で考え、行動に移すことが大切です。

「生涯現役」を前提にキャリア戦略を立てる

「キャリアビジョンなんて若い人が描くものだろう」と思いがちですが、むしろ**ミドル世代こそ、しっかり将来像を描くことが重要**です。なぜなら人生100年時代となった今、60歳で定年を迎えても、その先の人生はまだまだ長いからです。

大半の人は再雇用を選択して65歳まで働き、その後は退職金と年金で暮らしていこうと考えます。しかし80歳や90歳まで生きるとなれば、どこかで退職金は尽きます。

さらには少子高齢化によって年金財政は悪化し、今後は支給水準の切り下げが進むと予測されます。おそらく２０４０年を迎える頃には、年金生活者の暮らしは相当苦しくなっているはずです。しかも日本の賃金はこの30年近く横ばいで、ミドル世代の給与も上がっていないため、老後に備えて貯蓄する余裕もありません。

この厳しい未来を生き抜くには、**「生涯現役」を前提としたキャリア戦略が必要**です。60歳を過ぎても社会に必要とされるスキルを身につけ、自分の力で稼いでいくためにも、そのスタートポイントとなるキャリアビジョンの設定が欠かせません。

将来なりたい自分のイメージが湧かない人は、シンプルに「**自分が好きなことは何か**」を考えてみることをお勧めします。今まで経験した仕事の中で得意だと思えることを探したり、若い頃に憧れていた職業を思い返してみるのも良い方法です。

私が40代後半からロースクールに通い、54歳で弁護士になったのも、大学時代に志した職業だったからです。当時は司法試験に挑戦しても歯が立たず、銀行や外資系企業でキャリアを積んできました。

しかし40代後半に差し掛かると、自分には50歳を過ぎても転職できるほどの専門性がないことに気づいて、危機感を覚えるようになります。ちょうどその頃、日本にロースクールが開校することを知り、かつて目指していた弁護士になりたいというキャリアビジョンが復活したのです。

実際に弁護士になった今、自分にはこの職業が一番合っていると感じます。好きなことや憧れていたことなら、学び直しも頑張れるし、仕事へのモチベーションも長続きします。

転職エージェントを活用して足りないスキルを把握

自分のキャリアについて相談できる相手を持つことも大事です。好きなことが見つかっても、「その仕事に就くには、今の自分に何が足りないのか」を客観的に把握できなければ、何を学び直すべきなのかもわかりません。

特に一つの会社に長く勤めている人は、身近な同僚との比較でしか自分を捉える機会がないため、「**自分はマーケットでどう評価されるか**」という視点が抜け落ちやすくなります。ですから、第三者の視点からアドバイスをもらうことが重要です。**相談相手として上手に利用したいのが、転職エージェント**です。ジョブマーケットに精通したキャリアアカウンセラーに相談すれば、自分の市場価値を評価してくれます。

今の自分に不足しているスキルや強化すべきスキルがあれば助言してくれますし、市場で高く売れるスキルを教えてもらうこともできます。

転職エージェントは相談だけなら無料で利用できるので、すぐに転職するかどうかは別として、定期的に会ってアドバイスをもらうといいでしょう。つながりを作っておけば、自分の経歴に合う求人が出たときも、すぐに声をかけてもらえます。

さらに重要なのが、マインドセットの切り替えです。せっかく**勉強しても実践に活かす人が少ないのは、危機感がないから**です。

私は銀行員時代に米国留学を経験し、キャリア観が一変しました。ジョブ型雇用の米国では、誰もが主体的にやりたいことを見つけ、転職を繰り返して新しい環境でチャレンジしながら、高い専門性を身につけていく。日本とはまったく違う世界があることを知って衝撃を受けました。40代半ばで弁護士を目指すことを決断できたのも、グローバ

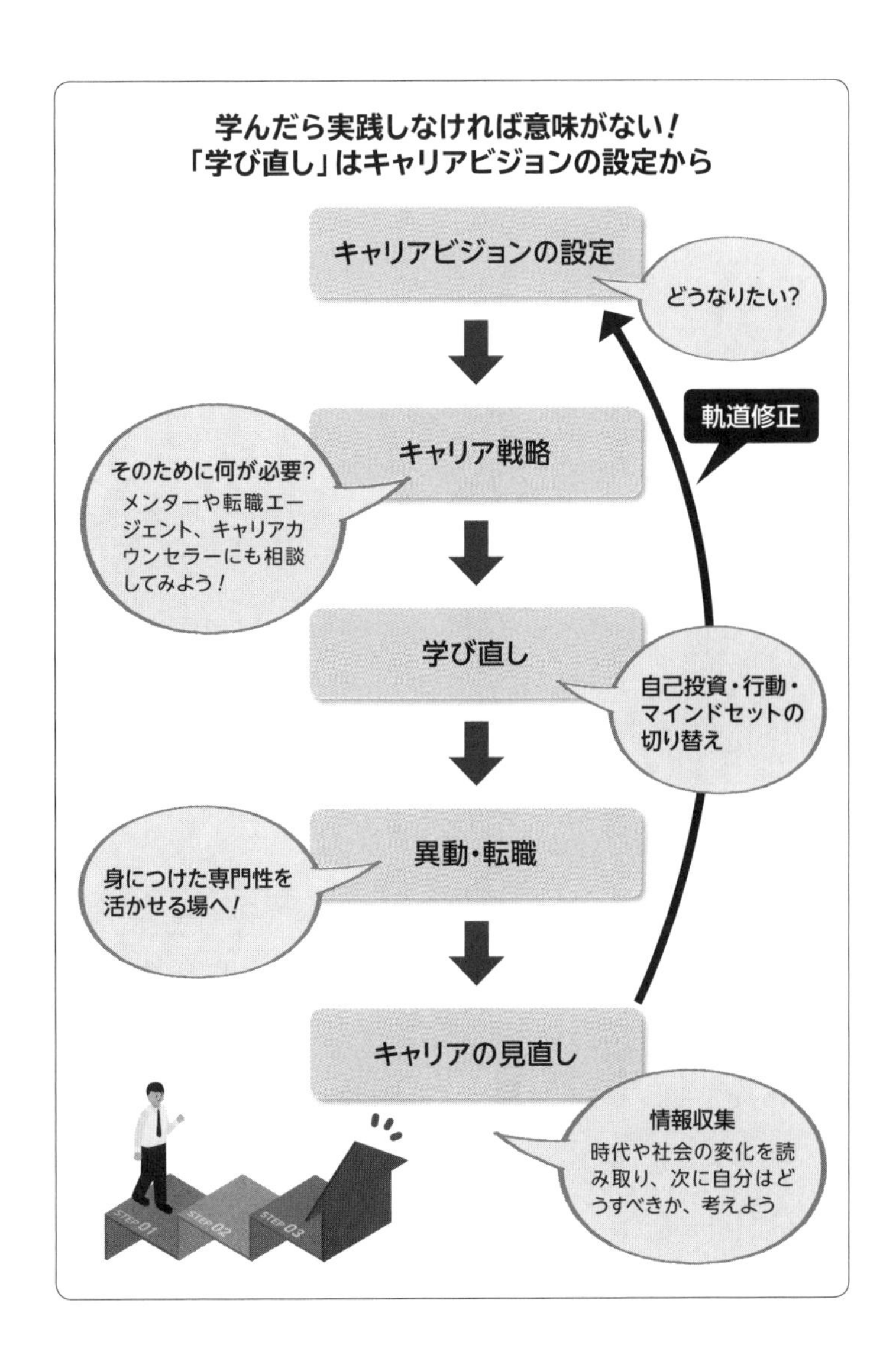
学んだら実践しなければ意味がない！
「学び直し」はキャリアビジョンの設定から
キャリアビジョンの設定
どうなりたい？
キャリア戦略
そのために何が必要？
メンターや転職エージェント、キャリアカウンセラーにも相談してみよう！
軌道修正
学び直し
自己投資・行動・マインドセットの切り替え
異動・転職
身につけた専門性を活かせる場へ！
キャリアの見直し
情報収集
時代や社会の変化を読み取り、次に自分はどうすべきか、考えよう
STEP01
STEP02
STEP03

ルで見れば自分にはまだまだ専門性が足りないと危機感を抱いたからです。

よって**行動につなげるには、広い世界を知るための情報収集が欠かせません。**世の中がこの先どのように変わっていくかを理解すれば、「このままでは変化に対応できない」という危機感が生まれます。ビジネスパーソンなら新聞を読むのは必須。加えてビジネス雑誌や書籍からもインプットするといいでしょう。

お金をもらえるのは「自分で手を動かして価値を生み出せる人」

学び直しをする際に、もう一つ重要なことがあります。それは**自分で手を動かすこと**です。

学び直しと聞くと、資格を取得したり、スクールに通ったりすることだけをイメージしがちです。しかし市場で高く売れるスキルは、資格や修了書とは直接結びついていません。

いくらＩＴ関連の資格を持っていても、「Ｗｅｂサイトを作ってほしい」と頼まれたときに、「実際に作ったことがないのでできません」としか言えないのでは、仕事にならないでしょう。お金をもらえるのは、たとえ資格がなくても、顧客のニーズに合ったＷｅｂサイトを納期までに構築できる人です。つまり**専門家とは、「自分で手を動かして価値を生み出せる人」**を意味します。

例えば営業の専門家なら、自分が扱う商品やサービスを熟知し、自らデモンストレーションまでこなします。私は先日、弁護士向けの案件管理システムの営業を受けましたが、その担当者は自分で画面上の操作をしながら、機能性をわかりやすく説明してくれました。営業でありながらＩＴ技術に精通し、しかも自分で手を動かせる。これは指示を出しているだけの役職者にはない専門性です。いくら営業部長の肩書きがあっても、現場の第一線で実践できない人は専門家ではありません。

弁護士のように資格がなければ就けない職業もありますが、それも資格を取っただけではお金をもらえません。私は裁判に必要な訴状作成や依頼人の主張を補強するための証拠探しも、自分で行ないます。だから依頼人に信頼されるのであって、相談に来た方に「訴状の書き方を教えるので、自分でやってください」などと言ったら、誰も私に弁護を依頼しないでしょう。

転職や副業による実践で身につけた「専門性」は強い

最近の若い世代は、**転職によって実地でスキルを獲得しながら、専門性を養う**のが当たり前になりつつあります。

「将来ＩＴ企業を創業したい」というキャリアビジョンがあるなら、まずはプログラミングスキルを学ぶためにシステム会社やＩＴコンサルティング会社に就職。次に経営スキルを身につけるためにスタートアップ企業に入り、企画や営業を経験してから起業する。こうして戦略的に転職を繰り返すケースは珍しくありません。

私も数回の転職を経験しましたが、コンサルティング会社で経営やマネジメントの専門スキルを磨いたことがキャリア形成に役立ち、外資系企業で社長を務める機会も得られました。

ミドル世代は若い世代のように気軽に転職できないかもしれませんが、副業として実践したり、必要なスキルが磨けるプロジェクトやポジションに手を挙げることはできるはずです。

ぜひ今から行動を起こし、**20年や30年先も食べていける専門性を磨いていただきたい**と思います。

PROFILE

うえだ・おさむ●1957年、東京都生まれ。東京大学法学部卒業後、東京銀行(現・三菱UFJ銀行)入行。ダートマス大学エイモスタックスクールにてMBA取得。ブーズ・アレン・ハミルトン(現・PwCのStrategy &)を経て、外資系データベース会社のレクシスネクシス・ジャパン代表取締役社長。その傍らロースクール夜間コースに通い、司法試験合格。企業再生コンサルティング会社のアリックスパートナーズでJALやライブドアの再生に関わる。2010年、弁護士開業。14年に独立し、青山東京法律事務所を開設。著書に『2040年「仕事とキャリア」年表』(三笠書房)など。

職場の外に出て、「楽しく学べる」テーマを見つけよう

――将来の稼ぎにつながる「学び」を自分で考える時代

乾 喜一郎
リクルート進学総研主任研究員

「40代・50代の学びは、20代・30代の学びとは違うと考えたほうが良い」と話すのは、キャリア・学習系情報誌の編集長を長年務めた乾喜一郎氏。しかも「学習テーマや資格の選択に時間をかけすぎないほうがいい」という意外な答えが。ミドル世代にとっての「学び」の心得を、実際の取材体験等をふまえて、詳しく教えてもらった。

会社が「学び」の機会を用意してくれる時代ではなくなった

学んでいる人はとことん学んでいるけれども、そうでない人は学ぶ機会を持てていない――。40代・50代のビジネスパーソンの学習格差は、近年ますます開いています。その理由の一つが、企業が教育研修を実施する際、この世代への優先順位が低くなっていることです。

企業の教育訓練費はリーマンショックを機に激減しましたが、その後も回復していません。厚生労働省の調査によると、社員一人・１カ月当たりの教育訓練費は、リーマンショック前の２００６年は１５４１円でしたが、直近の２０２１年では６７０円と半分以下に減りました。

原因は、企業の考え方に余裕がなくなっているから。従業員への投資よりも株主配当や内部留保の確保に資金を回していますし、教育研修費をかけるにしても、入社したばかりの新入社員研修や、エグゼクティブ予備軍のための研修など、短期的な効果が見込めることに資金を集中しています。だから、**30代を過ぎた一般社員には教育の機会が減**

っているのです。

もう一つの理由は、会社が変化のリスクを避けていることです。確働性の高い中堅社員には同じ仕事を無難に続けてほしいからと、10年以上職種も職級も変わっていない40代・50代は珍しくありません。だから、新しい仕事にチャレンジして学ぶ機会がなかなかないのです。

教育や挑戦の機会が豊富な企業もありますが、それは非常に恵まれた環境といえます。しかし、恵まれない環境にあっても、学ぶメリットを知っている人は学び続けています。**会社が学びの機会を用意してくれることを待つのではなく、自分で学びを考えることが必要**です。

では、何を学べば良いのでしょうか。まずは、学びの種類を整理しましょう。

私はこれまでの事例から、社会人の学びを「組織型学習」「資格型学習」「越境型学習」の3つに分けて考えています。

「**組織型学習**」は、組織に蓄積された知を体得すること。OJTや研修などがその例です。

「**資格型学習**」は、資格や学位の形で客観的に定められた知識・技能を修得することです。

「**越境型学習**」は、自らの意思でアウェイの場に行き、他の価値観を持つ他者との対話

社会人の学びの「3つの型」

① 組織型学習

組織の中での、業務を通じた学び・業務に直結した学び

学ぶ場	職場でのOJTや組織が用意した研修
学ぶ内容	組織内のみで通用する暗黙知、業務上必要な知識

ポスト不足や教育研修費削減が成長機会不足に直結

② 資格型学習

資格や学位という形で第三者に認証された専門知識の獲得

学ぶ場	専門学校や大学などの教育機関、通信講座、書籍での独学
学ぶ内容	組織外でも通用する普遍性の高い知識やスキル、専門知識

獲得した知識を実践できるかどうかは本人次第

③ 越境型学習

自分とは異なる経験や価値観を持つ相手との対話を通した、自分自身のアップデート

学ぶ場	実践の場（アウェイ）と学習の場（ホーム）の往還。実践の場は職場のほか、家庭や地元など。学習の場は教育機関のほか、趣味の集まりなど、ホームを離れて自らの意思で赴く場
学ぶ内容	新たな知識、自分とは異なる価値観などのインプットと、自らの経験・持論のアウトプットとフィードバック
実践の場	学習の場での学びや気づきを実践し、そこで生まれる軋轢や葛藤を乗り越えることで自分自身をアップデート

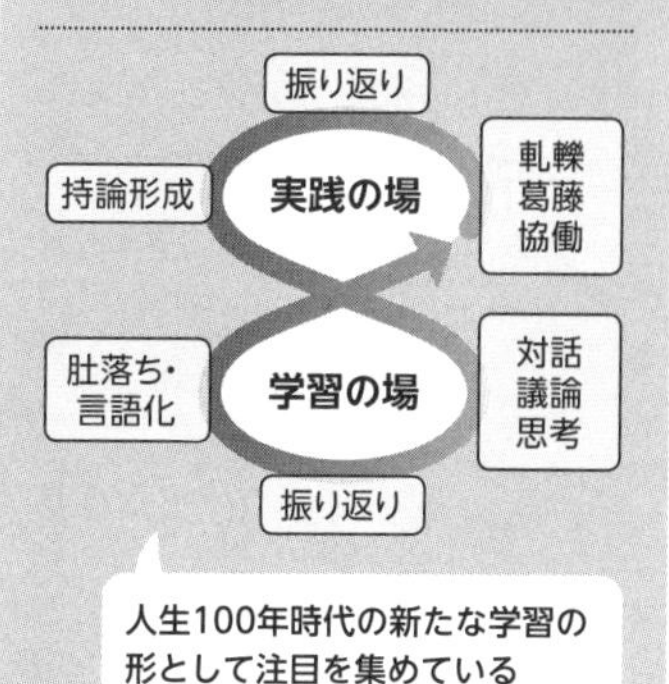

人生100年時代の新たな学習の形として注目を集めている

によって知を創造することです。例えば、社会人大学院やワークショップに参加して議論をすること。副業やボランティアも、アウェイの場で学びを得るという意味では、越境型学習の一つの形といえます。最近は越境型学習が注目を集めており、ここに目をつけると、選択肢が広がるでしょう。

40代・50代の学びと、30代以前の学びの違い

どの学習方法を選ぶにしても、**40代・50代での学びは、20代・30代とは異なる考え方で臨んだほうが良い**でしょう。

一つは、これまで業務や生活を通じて得た経験や知識をベースにすると可能性が広がる学びを選ぶこと。20代・30代は経験や知識がないので、ただ新しいことに次々と挑戦すれば良いですが、**40代・50代にはすでに様々な知識や経験があります。それと掛け合わせられることを学べば、知識しかない人よりも希少な存在になる**ことができ、稼ぎにもつながりやすくなります。

例えば、法人向けの営業で事業主と深い会話をしてきた人が中小企業診断士の資格を

取得したら、経験だけの人よりも市場価値が上がるといった具合です。

以前私は、53歳で柔道整復師の資格を取得し、開業して多くのお客様を獲得した方を取材したことがあります。柔道整復師は何万人もいるのに後発で成功できたのは、前職で運送会社のトラックドライバーをしていたから。「仕事で車を運転している人の悩みがわかる柔道整復師」として信頼を集めたのです。

同様に、過去の経験や知識、人間性などを掛け合わせると、希少性が生まれてきます。

定年後を豊かにする「学び」を意識する

もう一つ、40代・50代の学びで意識したほうが良いのは、「定年後の生活を豊かにする」ような学びをすることです。ビジネスに関することでなくて構いません。スポーツでもアートでも哲学でも、自分が興味を持てることなら、何でも良いでしょう。

定年前からこのタイプの学びをしていると、良いことがたくさんあります。一つは、**会社でも家庭でもない第3の場、「サードプレイス」が得られる**ことです。

地域コミュニティや趣味のサークル、あるいは同じ趣味を持つ愛好家の集まりができますし、こうした場は単に楽しいだけではありません。新たにできた友人からは新たな情報が入ってきますし、そこでの対話は、同じ職場で凝り固まった価値観や発想を解きほぐしてくれます。

趣味ではお金にならないのでは？　と思うかもしれませんが、**経験や学びのバリエーションが増えることで、その知識や経験自体が収入に結びつく**こともあります。SNSのおかげで副業・兼業のチャンスも広がりました。

実は私も、趣味の活動が仕事につながりつつあります。私は長年、地域の活動で子どもに絵本の読み聞かせをしてきました。男性、かつ大阪弁というのはレアキャラかも（笑）。区の子ども読書活動推進会議の委員にもなりました。

すると、この経験がきっかけの一つとなり、千葉県の生涯学習審議会の委員のオファーが来たのです。今はまだ収入になってはいませんが、希少性の高い経験でもありますから、いずれ収入につながる可能性もあるかもしれません。

趣味や生涯学習の重要性は、ビジネス誌ではあまり取り上げられませんが、人生100年時代をどうやって生きていくかを考えるうえでは絶対に無視してはいけないジャンルだと思います。

収入につながりやすい「お世話」系の学び

自分の経験や知識と掛け合わせることを考えると、何を学べば良いかは人それぞれ違うといえます。ただ、**あえて収入に結びつきやすいものを挙げるとしたら、「お世話」に関すること**を学ぶと良いでしょう。40代・50代は誰か後輩をサポートしたり、後進を育てたりといった「お世話」をする役回りが求められるからです。

一方で、「お世話」はお世話する相手が主役。気持ちを支えたり勇気づけたりするには、そのための技術が必要です。例えば、アドバイスやコンサルティングをするのに役立つ資格。キャリアコンサルタントや中小企業診断士、コーチングに関する資格はその典型です。また、自分の得意分野の知識は体系的にとことん突き詰めておくと、コンサルティングや業務サポートができるようになります。

福祉関連や子育て関連など「人のお世話をする」資格も、40代・50代に向いています。家族の介護の経験があれば、その資格がさらに生きてくるでしょう。**生活上の経験があるのはこの世代の大きなアドバンテージ**です。

誰かのお世話をする地域ボランティアをするのも、実践的な学びになります。野球やサッカー、武道などスポーツの指導員や審判員などがその例です。こちらは収入にはなりにくいものの、サードプレイス作りにはもってこいです。

資格で稼げるのは、取得後も学び続ける人

稼ぎにつなげることを考えると、旬の資格を学ぶのが良いと考えるかもしれません。しかし、**本当に稼ぎにつながりやすいのは、「学びを自分の中で楽しめること」**です。

私は資格専門誌で、資格で稼いでいる方を８００人ほど取り上げてきたのですが、大半の人が「収入につながっているのは、資格合格までに学んだことよりも合格してから学んだこと」と話していました。

ある弁護士は、今の仕事で使っている知識のうち、司法試験で学んだことは5%程度、あとの95%は合格後に仕事をしながら学んだことだといいます。あれだけ難しい試験でも5%程度なのですから、他は推して知るべしでしょう。

つまり稼ぐためには、常に学び続ける必要があるのです。これは「稼げるから」とい

う甘い気持ちでは続きません。仕事をお願いする側の立場から考えると当然のことです。学会で最新知識を好きで追いかけているお医者さんと、義務感で最小限のことしか学んでいないお医者さん、どちらにかかりたいですか？　学ぶこと自体を楽しめないとムリなのです。

ただ、学んで楽しいことなど最初からわかるものではありません。最初の動機は義務感でも危機感でも良いので、とにかく始めてみて、自分が楽しめるかどうか確かめてみましょう。

稼ぎにつなげるうえでもう一つ大切なのは、「学んだことを日常生活で実践できること」です。ビジネススクールにしてもコーチングにしても、ただ学んだだけでは自分の血肉にはなりません。「会社でフレームワークを使ってみた」「実際にコーチングした」けれども、うまくいかなかった。何がいけなかったのか、改めて学ぼう……。こうした実践と座学の往復活動をすることで、初めて生きた学びが得られるのです。

そう考えると、実践の機会が得にくいものは避けたほうが良いと言えるでしょう。

「偶然の出会い」から、新たな学びの道が開ける

学ぶテーマは無数にありますが、自分だけで考えていると、発想が広がりません。そこで私がお勧めするのは、会社の外の人と積極的に話すことです。趣味のサークルの仲間、町内会の人、昔の友人……。こうした人たちと話していると、会社の人からは得られない情報が入ってきます。

これまで注目してこなかった資格を勉強している、地方創生のコミュニティで活動している、草サッカーのメンバーを募集している……。様々な情報が入ってくるでしょう。こうした話を聞いたときに、少しでもピンとくるものがあったら、飛び込んでみれば良いのです。すると、そこから予想していなかったような学びの道が開けることがあります。

実は、**偶然の出会いからキャリアを広げる大切さ**は、スタンフォード大学名誉教授のジョン・クランボルツらが「計画的偶発性理論」として提唱しています。大切なのは、日々の行動のバリエーションを増やしていくこと。人見知りの方でも、普段出会わない

人と出会えるチャンスがあったら、勇気を出して飛び込んでみましょう。

リアルの場での学びのメリットとは？

新型コロナをきっかけに急増したのがオンラインセミナーです。これまで数万円払っていたような授業内容を自宅で数千円で聞けるものもあり、学びの世界を変えつつあります。すでにオンラインセミナーを頻繁に活用している人も少なくないでしょう。

私はそれらに加え、**ビジネススクールやセミナーなどで他の人と一緒に学ぶこともお勧め**しています。リアルの場での学びは、同じ関心を持つ仲間作りがしやすいのです。人間関係が面倒だと感じる人もいるかもしれませんが、そのデメリットをはるかに上回るメリットがあります。

社外の仲間と切磋琢磨することで勉強が続きやすくなりますし、世代の異なる人と話すことで刺激も受けられます。社内では部下にあたる年代の人と対等な関係で付き合うことで、誰とでもフラットに付き合う感覚が身につくでしょう。この感覚が、定年後に地域コミュニティや趣味のサークルで活動する中で非常に役立ちます。

また、他の業界で働いている人と話していると、当たり前だと思っていたことが自分の強みだと指摘されることもよくあります。自分を客観的に見られるようになるわけです。

学んで無駄なことなどない！　まずは職場の外に出てみよう

社外で学んでいるけれども、職場の同僚には内緒にしている人は少なくないようです。上司や同僚に「そんなヒマがあったら会社の仕事をやってくれ」「また机上の空論にかぶれてきて」などと嫌味を言われた経験を持つ方も多いのは事実。わからない相手への説明が面倒になって……という声もよく聞きます。

しかしそれは非常にもったいない。**学んでいることを無邪気にオープンにすることで、デメリット以上のメリットがある**からです。職場の理解や協力を得るプロセス自体が大きな学びの源となりますし、公言することで「それなら……」と耳寄りな情報が舞い込んだり、思わぬところに同じ関心を持つ仲間が見つかったり……。すでに外で学んでいる若手からの支持を得られる可能性も無視できません。むしろ外で勉強していることを積極的に話しましょう。

以上、40代・50代の学びのポイントをお話ししてきましたが、最もお伝えしたいことは、**「しっかり情報収集して、本当に有効な学びかどうかを深く考えたうえで」という考え方をやめること**です。それをしていたら、何も始められなくなります。そのほうが大きなリスクです。

学んで無駄なことなどありません。役立ちそう、面白そうだと思うものが見つかったら、職場の外に出て学んでみましょう。すると必ず、次の展開が見えてきます。将来の稼ぎにつながる、自分が打ち込める学びのテーマは、その先でこそ出会えるものなのです。

PROFILE

いぬい・きいちろう●1967年、大阪生まれ。92年東京大学教養学部卒、同年㈱リクルート入社。以来一貫して、進学・就職・転職といったキャリアに関する領域に携わる。2006年より「稼げる資格」「社会人&学生のための大学・大学院選び」など、社会人学習専門誌「ケイコとマナブムックシリーズ」の編集長を務める。19年より現職。学習者にとって意義のあるリカレント教育・社会人学習のあり方について提言を続けている。

転職・再就職がスムーズに決まった人は何を学んでいたのか？

――資格より経験！ ミドルの市場価値を上げる「学び直し」

マイナビミドルシニア

40代・50代・60代を対象とする求人サイト「マイナビミドルシニア」と、人材紹介「マイナビミドルシニア人材サービス」を運営。正社員からアルバイト・パートまですべての雇用形態に対応している。

三好 裕 マイナビミドルシニア編集長

ライトマネジメント

人材サービスを手がけるマンパワーグループ㈱の再就職支援・人材育成・組織開発に特化したブランド。日本における再就職支援モデルのパイオニア。1994年のサービススタート以来、支援実績は8万人を超える。

野村香与子 ライトマネジメント事業部 キャリアマネジメント部部長

「学び直し」を始めるには、「何」から学べばいいのか――。「転職市場で評価される」という視点から、ミドル世代の転職・再就職事情に精通するお二人にうかがった。

「転職に有利な資格」は存在しない

――かつて、転職市場には「35歳の壁」があると言われていた。しかし、日本人材紹介事業協会によると、2020年度の41歳以上の転職者は、5年前と比べて約2倍に伸びている。盛り上がっているミドルの転職だが、ミドルが市場で評価されるために取っておきたい資格はあるのだろうか。

マイナビミドルシニアの三好裕氏はこう語る。「キャリア自律のための学び直しを考えるとき、資格の取得を目指す人も多いと思います。しかし、実はミドル世代の転職市場からすると、『取っておけば転職のときに役立つ資格』はほとんどありません。

実際の求人情報を見てみるとおわかりいただけると思いますが、医療職や士業といった業務独占資格を除き、募集の条件として資格を設定しているような求人はあまり見当たらず、持っていることで有利になるような資格もないのです」

再就職支援を手掛けるマンパワーグループの野村香与子氏も、「この資格や経験があれば優遇される」という絶対的なものは存在しないと語る。

「私たちは、様々な事情で退職される方が次の進路へ向かうプロセス全般を、お手伝いさせていただいています。カウンセリングを行なう中で『資格って取ったほうがいいんですか?』というご質問を受けることが本当に多いのですが、ひと言で回答するのであれば、『取ることで有利になるような資格はありません』ということになります。

もちろん、すべての資格が無意味ということはありません。ミドルシニアの方々がこれまで積み上げてきたキャリア、経験、知識という圧倒的な武器に、さらなる付加価値をつけられるような資格なら、取ってもいいと思います。

ですが、自分の強みは何か、これから一体何をしたいのかがはっきりしないまま、手あたり次第に資格を取るようなことをしてしまうと、むしろ『軸がない』『自己理解ができていない』というネガティブな印象を与えてしまう可能性さえあります」

企業がミドル世代の中途採用人材に求めるもの

——では、ミドル世代を採用するうえで、企業側が求めているものは一体何だろうか。

「それは『実務経験によって培われたスキル』です。例えば、宅建は合格率が20%を下回る難関資格ですが、不動産業界が歓迎するのは、『50代で宅建の資格を取った業界未経験者』よりも、『宅建は持っていないけれど、不動産業界で10年以上のキャリアを持つ50代』。もちろん、宅建の資格と業界経験を兼ね備えた人材が最も望ましいことは言うまでもありません。しかし、『資格か経験か』で言えば、ミドル世代が評価されるのは、圧倒的に『経験』のほうなのです。

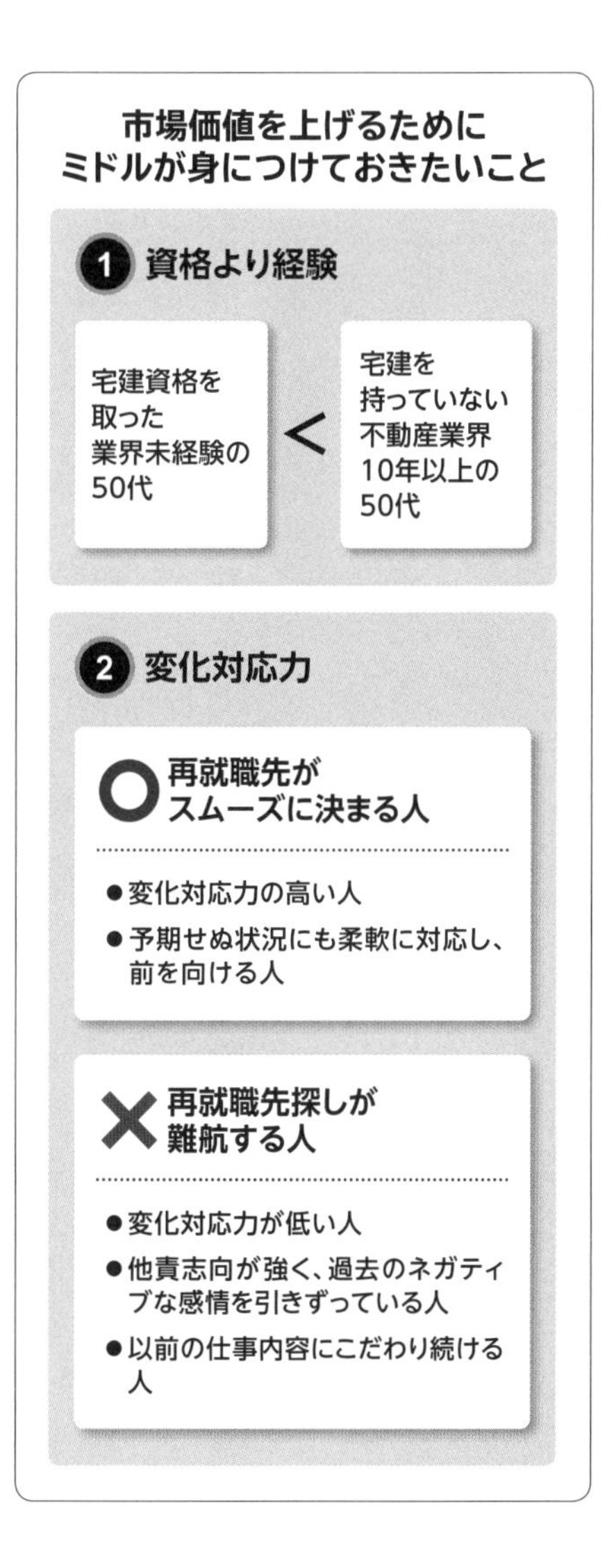

確かに、35歳までと言われてきた未経験業界への転職も、近年は40代前半くらいまで上限が引き上がっています。それでも、40代後半以降は実務経験がマストというのが現実です」(三好氏)

――「具体的にどのような経験が評価されるのか」はもちろんケースバイケースだが、一定の傾向はあるという。

「ミドルが評価される経験として、一定の傾向として言えるのは、『専門性を持ちつつ、ある程度の幅やスパンで業務の全体感を捉えてきた経験』です。さらに、実際に転職するとなると、その自分の経験が、転職先の企業にどのようなメリットをもたらすのか、わかりやすく伝える必要があります。

例えば、人事部で採用業務を中心に働いてきた人の場合を考えてみましょう。履歴書にはざっくりと『採用業務に従事』などと書かれている場合が多いのですが、採用業務とひと言で言っても、新卒採用なのか、中途採用なのか、アルバイト採用なのかによって、業務はまったく異なるはずです。

ここで、『採用面接をしてきたので、面接のスキルがあります』とアピールされる方も少なくないのですが、採用面接の経験はスキルと言えるものではなく、転職市場ではほとんど評価されません。評価されるのは、例えば新卒採用の計画から実行の一連の流れを担った経験です。

会社全体の人員計画から採用計画を立て、利用する媒体を選び、選考基準を作って面接スケジュールを組み……といった業務を担ってきた方なら、新卒採用の流れ全体を把握しているはずですから、そうしたスキルを欲している企業から評価されるはずです。

一方で、大企業ほど業務が細分化されていて、業務の全体像を把握しにくい傾向があります。ですから、自分の担当と隣接した業務にも積極的に携わるようにするなど、全体像を広く把握できるようにすることは、ミドルの市場価値を上げる学び直しと言えるでしょう」(三好氏)

再就職先がすぐ決まる人と難航する人の違い

――再就職支援の現場で再就職先がスムーズに決まる人たちにも、ある傾向があるという。

「変化対応力の高い方、予期せぬ状況にも柔軟に対応できる方は、再就職先も決まりやすい傾向があります。そういう方は、ご自身の予期せぬ退職についても前向きに捉え、再就職でなくとも、何らかの納得のいく着地点を見つけられていますね。

逆に、過去のネガティブな感情を引きずっていたり、元の仕事にこだわり続けている方は、支援が長引く傾向があります。ミドルシニアの経験は強力な武器ですが、逆にそれが足かせになってしまう場合があるのです」(野村氏)

――変化対応力を身につけるには、どのようなことを心がければいいのだろうか。

「私たちは、『ラーナビリティー』という言葉を提唱しているのですが、これは『学び続ける能力』という意味です。

何かを『学ぶ』というと、0から何かをやらなければならないと考えて抵抗を感じられる方も多いのですが、私たちがお伝えしたいのは、日常の中にちょっとした変化を起こし続けることの重要性です。

毎日の業務のやり方をちょっとだけ変えてみるということはもちろん、仕事に限らず、通勤ルートを変えてみる、いつもと違うジャンルの本を読んでみる、毎日見ているニュース番組の固定をやめる、といったことでもいいんです。日常の中にそうした小さな変化を起こすことが、変化への適応力を上げることにつながっていきます。ハードルを上げ過ぎる必要はありません」(野村氏)

50代事務職がスムーズに再就職できた理由

――ミドルにとっては、経験こそが武器。原則として資格そのものは武器になりにくいが、経験とうまく組み合わせることで、強みを強化できる場合もある。

「面白いケースとして、長年ホテルに勤めていた方が、運行管理者という国家資格を取って、タクシー業界に転職していった、というものがあります。タクシーのドライバーになったわけではなく、ドライバーのシフトを組んだり健康管理をしたりするほか、事故やクレームへの対応を行なう業務についたのです。

ホテルスタッフもシフト制が基本ですし、ホテルでの接客経験で、クレーム対応はお手のもの。それらの経験に運行管理者という資格を組み合わせたことで、新たな道が開けたケースです」(三好氏)

「製造業で品質管理に携わっていた50代の事務職の方が、MOS(マイクロソフトオフィススペシャリスト)を取ったことで、再就職先とスムーズにおつなぎできたケースがあります。

事務系の求人では、40代くらいまでを希望する企業が多いのが実情です。理由は、年齢が高い人はパソコン操作やＩＴリテラシーに不安がある場合が多いから。

この方は元々パソコンを使った業務をしていたので、パソコン操作に問題はなく、ＭＯＳも一部取っていたのですが、この機にＭＯＳの資格を全部揃えられました。

そうして、この方のキャリアとＭＯＳを取っているという情報を企業側にお伝えすると、名実共に実績があると判断され、採用が決まりました。ＭＯＳという客観的な指標が、経歴を補強してくれたケースと言えます」（野村氏）

「学び直し」の人気項目、語学や簿記は役に立つのか

――汎用性が高いとされている語学や簿記はどうだろうか。

「英語はできるに越したことはないし、どちらも勉強することが無意味とは言いませんが、評価されるのはやはり資格や点数ではなく、実務経験です。

『ＴＯＥＩＣは高得点だけど日常業務で英語を使ったことはない』という人より、『聞いたり話したりは苦手だけど、海外とメールでやり取りをしてきた』という人のほうが

高評価を得られます。
簿記も同様です。経理や財務の経験がある人が簿記で経歴を補強するのはいいと思いますが、そうした経験もなく簿記を取っても、中高年の転職市場での評価という点では、ほとんど意味はありません」（三好氏）
「TOEICの点数だけで評価する企業はほとんどありません。でもこれは、英語が要らないという意味ではなく、実務経験をより重視しているからです。
とはいえ、わかりやすい指標として、TOEIC高得点を求める企業もあります。労働市場では、客観的な指標を持っていないと評価されにくい場合があることも事実です。先ほどのMOSのケースと同じように、わかりやすい指標として、自分が積み重ねてきたものを証明するような『結果としての資格や点数』は、有効な場合もあると思います」（野村氏）

「学んでから実践」ではなく、「学びながら実践」しよう

──「市場価値を上げる」という観点からミドルが学び直しを行なう場合、どのよう

な点を意識したら良いのだろうか。

「広く全体を見ている人の評価が高いという点は先ほどお伝えしましたが、もう一つ、レアな経験や皆がやりたがらない実務の経験をしてみるということも、市場評価を上げるポイントになると思います。

例えば、早期退職の実務。早期退職を敢行する場合には、人事規定を作り直したりしているはずで、人事制度への理解も深まるし、なかなかない経験をしたレア人材になれます。

中でも特に皆がやりたくないのが、退職勧奨。タフなコミュニケーションを乗り切った実務経験は、転職市場でも評価されるはずです。

また、転職ではなく定年後再雇用のことを考えても、『自分はこの仕事しかやらない』と決めつけるよりも、ある程度色んなことをやれるようになっておくほうが、居場所が得やすいと思います。

そういう意味でも、隣接した業務を手伝ってみたり、新規プロジェクトには積極的に参加してみたりして、経験や視野を広げておくことがお勧めですね」(三好氏)

「経験と掛け合わせることで強みが強化されるスキルを見つけて、学びと実践と同時並行するのがお勧めです。ポイントは『学んでから実践』ではなく、『学びながら実践』すること。

実践経験のない資格や知識は意味がないということもありますし、実践経験を積む中で得られた人脈や経験が、その後の可能性を広げてくれることもあるからです。

経験と掛け合わせるべきスキルは、その人の経歴によって千差万別なので一般化することが難しいのですが、一つわかりやすい例を挙げるとするなら、『営業』×『デジタ

ミドル世代の学び直しのポイント

業務の全体像を把握できるようになろう

隣接した業務を手伝ったり、新規事業のプロジェクトには積極的に参加したりして、できることの幅を広げよう

レアな体験をしよう

皆がやりたがらないことは、特に市場での希少価値が上がる

「学びながら実践」しよう

実践経験のない資格や知識は意味がない。実践の中で得られた人脈や経験が、その後の可能性を広げてくれることも

経歴と掛け合わせて強みとなるものを見つけよう

社会のトレンドをつかみ、自分の経歴と掛け合わせられる分野を探してみよう。無料オンラインセミナーなどは手軽な情報源としてお勧め

ルマーケティング』でしょうか。

最近の営業職の求人では、営業経験かつデジタルマーケティングの知識必須、ということも多くなっています。営業職の方は、勉強しておいて損はないでしょう。

『経験×○○』の探し方でお勧めなのが、オンラインの無料セミナーに参加すること。企業の営業活動の一環なので、全部鵜呑みにしてはいけませんが、トレンドをつかむ情

C O L U M N

例外的に強い「業務独占資格」

「転職に有利な資格は存在しない」のが大原則だが、例外が業務独占資格である。業務独占資格とは、医師や弁護士、航空管制官など、資格を有している人だけがその業務を行なえる資格のこと。

資格がなければ実践経験を積むことができないため、基本的には資格と経験がセットになっているが、中には「実務経験がほとんどなくても、持っているだけで引く手あまたになれる資格」も存在する。

その筆頭が「**電気主任技術者**」や「**電気工事士**」。例えば、設備管理の現場では、「この規模でこの電圧を扱うには**電気主任技術者の選任が必要**」という規定がある。そうした現場では、有資格者が一人辞めると大変なことになるため、年齢や経験にかかわらず、資格保有者は常に引く手あまたなのが実情だ。

「2013年から16年頃にかけて、日本全国の大手家電メーカーの工場が相次いで閉鎖になりました。そこで退職した技術職の方が電気系の資格を取って設備管理の仕事に再就職していくケースをよく見聞きしました」(野村氏)

報源として役に立ちます。「○○×●●」と、2つのジャンルの掛け合わせをテーマにしたセミナーもよく出てきます。

あれこれ参加している時間がないという人は、どんなセミナーが行なわれているのか、テーマを眺めてみるだけでもいいでしょう。そうした情報を収集する中で、自分の経験をどう斜め展開できるかを考えてみるといいと思います」（野村氏）

PROFILE

みよし・ゆたか●1992年、毎日コミュニケーションズ（現・マイナビ）入社。新卒・中途の採用支援、再就職支援事業のコンサルタントを経て2016年、マイナビミドルシニアの立ち上げに参加。22年、同編集長に就任。

のむら・かよこ●2009年株式会社ライトマネジメントジャパン（現・マンパワーグループ）に入社。キャリアコンサルタント、研修講師として業界・職種問わず千名以上の再就職支援に従事。22年、再就職支援サービス管轄部門の責任者に就任。

学びの仲間との出会いが、人生の可能性を広げる

――会社員・子育て・大学院の「三足のわらじ」で大学教授に

中川有紀子
元・立教大学大学院ビジネススクール特任教授

学び直しの実践者は、実際にその一歩をどう踏み出し、どう活かしているのか。会社員として人事課長・部長という役職をこなしつつ大学院に通い、さらに二人の子どもを育てるという、「三足のわらじ」を履いてMBAと博士号を取得した中川有紀子氏。「あまりに大変だったので、博士課程はお勧めしない」と笑うが、その過程で得たものとは？

40代で大学院入学、博士論文執筆に10年

——中川さんは40代で大学院に入学されました。そのきっかけは？

中川　当時、外資系企業で人事の仕事をしていましたが、仕事は米国本社の指示に従わなければなりませんでした。上司に疑問をぶつけても、「本社の決めたことをやっていればいい」と言われるだけ。現状打破のために人事のことを勉強したいと思っていたとき、私立大大学院に経営学修士（ＭＢＡ）が取得できるキャリアデザイン専攻コースが新設されると聞き、迷わず飛び込みました。

——2年でMBAを取得後、博士課程に進まれましたね。

中川　はい。当時は、二人の息子がまだ小学校高学年で手のかかる時期でしたし、転籍先の会社で人事部長になって、仕事も多忙を極めていました。仕事、子育て、学びの三足のわらじで、博士論文を書き終えるまでに10年かかりました。あまりに大変だったので、博士課程はあまりお勧めしません。ただ、大学院に進んで修士くらいは取ってもいいと思いますよ。

――大学院での学びを勧められる理由は、やはり仕事に役立つからでしょうか？

中川 そうですね。ＭＢＡの学びは仕事に直結していますから、仕事に役立つというメリットは確かにあります。ただし、ＭＢＡを取ったからといって、社内の待遇が良くなるかというと、私の場合はそうではありませんでした。日本の会社ではＭＢＡはあまり重視されていません。ですから、ＭＢＡの取得を目的にはしないほうがいいでしょう。

ＭＢＡの取得より、学びの仲間との出会いが財産に

――では、ＭＢＡ取得を目的としないなら、大学院で学ぶ意義は何だと思われますか？

中川 学びの仲間ができること、自らの知の探索習慣でしょうか。というのも、大学院では、業種や属性の異なる多種多様な人たちと一緒に学ぶことになります。私の場合、大手企業に勤めるビジネスパーソンの他にも、高校の数学の先生、看護師、官僚などバラエティに富んだメンバーと同期でした。

まったく異なる人生を歩んできた人たちが、同じ目的で集まり、同じ課題に取り組む。すると、色んな意見や考え方が出てきて、互いに触発されるのです。同期生との付き合

いは、修士課程が修了して15年が経つ今でも続いていますが、それぞれが新しいキャリアを開拓しており、非常に刺激を受け続けています。そうした学びの仲間との出会いは、私の人生でかけがえのないものでした。また、仲間を通じて色んな生き方や世界を知ることは、イントラパーソナル・ダイバーシティにもつながります。

――「イントラパーソナル・ダイバーシティ」とは？

中川　日本語で「個人内多様性」と訳されます。従来は組織におけるダイバーシティが注目されてきましたが、これからは、個人が色んな知見や考え方を持ち、自分の中での多様性を広げていくことがとても大事になってきます。つまり、自分の内側で問いかけながら、「こう考える自分もいるけれど、違う考えを持つ自分もいる」と触発し合うわけです。私自身はイントラパーソナル・ダイバーシティが高まることで、複眼的にものを見ることができるようになり、知の探索が進み、脳が活性化されました。

――最近はオンラインでの学びも増えていますが、どう思われますか？

中川　ＭＢＡにもオンラインコースがあって、リアルよりも安く効率的に取得できるようになりました。ただし、オンライン授業では得られないものもあります。一生ものの仲間との出会いや触発は、リアルでの学びでなければ難しいでしょうね。

「三足のわらじ」には、ストレス発散の効果も

――働きながら大学院1年目に通っていた頃は、どんな生活を送られていたのですか？

中川　大学院には、平日3回と土曜の朝に通っていました。仕事が終わると、夜6時半から9時半まで授業に出て、帰宅後は翌日の食事の作り置きをします。スーツを着替える暇もありませんでした。ただし、2年目は修士論文がメインになるので、週に一度、先生とゼミ生と集まり、議論をする程度です。博士課程も同じような感じです。メインは自分との闘いである論文執筆になります。

――仕事、子育て、大学院という三足のわらじの生活を、どのようにマネジメントしていたのでしょうか？

中川　どれも6割くらいの力の入れ具合でやっていました。三足のわらじが良かったのは、会社で嫌なことがあっても、授業では刺激的な学びがあることです。私にとってはいいバランスだったと思います。家族の理解と支えがあったから、学びを続けることができたので、家族には感謝しています。子育てには十分な時間を取れず、子どもたち

には負い目も感じています。ただ、成長した長男が、働く女性を結婚相手に選んだことは嬉しかったですね。てっきり専業主婦を望んでいると思っていましたから。仕事を持つ妻と家事を五分五分で分担する男性に育ってくれました。

大学院に限らず、会社の外の世界を知ろう

――学び直しは、中川さんの人生にどのような影響を与えていますか?

中川　一つ言えることは、キャリア選択の幅が断然広がったことです。以前は人事畑でキャリアを積んでも、せいぜい人事部長で終わると思っていましたが、大学院で学んだあと、アカデミアに転向したのは私にとって大きな変化でした。現時点で、同期生20人のうち、7人が大学教員になっています。互いに触発され奮起した結果です。

さらに、博士号を取得したことで、会社員時代は思いもしなかった社外取締役就任の話もいただきました。現在はプライム企業4社で社外取締役を務めています。

――学び直しをしたからこそ、つかめたチャンスですね。

中川　その通りです。私のいう「選択の幅の広がり」とは、会社だけがキャリアでは

中川氏の「学び直し」と「キャリア」年表

1988年
大学卒業後、信託銀行に総合職として入行

1994年
長男出産を機に退職。2歳違いの次男の出産育児も含め、2年半の時間を専業主婦として過ごす

1997年
証券会社の人事部にパートとして入社し、仕事に復帰。以降、日米企業で一貫してグローバル人事実務に携わる

2005年　（41歳）
MBA取得のため、外資系企業の人事課長としてフルタイムで働きながら修士課程に入学。2年で取得

2010年　（46歳）
人事部長として多忙を極める中、博士課程単位取得退学。国内外の多数の大学で研究員や非常勤講師を務める

2016年　（52歳）
立教大学大学院ビジネスデザイン研究科特任教授に就任

2018年　（54歳）
修士論文をはじめとする研究の評価の高さに女性役員登用推進の流れも重なり、複数の上場企業の社外取締役に就任

2019年2月　（54歳）
博士課程進学から11年を経て正式に博士号（商学）取得

ないという意味です。「自分の道はここしかない」と思うと、追い詰められてしまいますが、「他にもある」と思えれば、もっと楽に生きられそうだと思いませんか。

その意味では、大学院だけが学びの場ではないとも言えます。ボランティア活動や、地域のコミュニティに入るのもいいでしょう。そこには自分の知らなかった世界があり、様々な社会問題があると知るだけでも、学びになります。私自身、子ども食堂や猫のボランティアなど、様々な活動に関わっています。

――先ほどの、自分の中の多様性の話に通じますね。

中川　そうです。先が読めない今の時代に、目の前の仕事だけをやっていていいのか、考え直す必要があると思います。特にアシスタント業務や事務作業は、これからますますＲＰＡ（ロボティック・プロセス・オートメーション）に置き換わっていきます。40代、50代の人たちは、人生１００年時代に、次のキャリアを考えなければならない時代に差し掛かります。どんどん外に出て、色んな人と交わり、学びを通して色んな世界を見ていただきたいと思います。

PROFILE

なかがわ・ゆきこ●商学博士（慶應義塾大学）。日米企業で人事実務家として勤務しながら40代で修士課程に入学し、ＭＢＡを取得。博士課程進学から10年をかけて論文を書き上げ、54歳で博士号取得。大学教授や複数の企業の社外取締役を歴任。

55歳で早期退職後に独立開業の道へ

――専門学校と海外武者修行を糧に挑戦

CSS（Creative Skills Sharing Company）代表取締役社長
中田敏行

日本有数の大企業を早期退職後、日本語教師養成の専門学校での学び直しを経て、海外での技術指導などを手掛けることになった中田敏行氏。退職時に思い描いていたプランは途中で断念。そこからいかに自らのキャリアを切り拓いていったのか。65歳になっても新規事業に積極的に挑戦し続ける姿勢に学んでみたい。

55歳で1年間専門学校へ、大学生にまじって学ぶ

――中田さんは、55歳でソニーを早期退職後、日本語教師養成講座での1年間の「学び直し」を経て、以降ずっと海外で活躍されているんですね。

中田 ソニー時代に中国の工場に9年間赴任していました。現地の従業員とのやり取りは基本的には英語か中国語でしたが、彼らも日本とやり取りをする機会が多く、日本語を覚えたいというニーズがありました。ですが、「じゃあ日本語を教えましょう」と言っても、なかなかうまく教えられなかったんです。私はエンジニアなので、エンジニアに技術を教えるのは得意だったのですが、言語そのものの教え方はわからなかった。「学び直し」のトリガーとなったのはその体験でした。

母国語を教える難しさを感じていたところに早期退職の募集があり、自分自身が次にやるべきことの選択肢として、「日本語教師」が浮かんできました。

――早期退職をどのように受け止められたんですか?

中田 私がいた工場は閉鎖することが決まっていて、中国赴任が長かったこともあり、

私はもう日本に戻るように言われていました。でも、私は海外で仕事をしたかったので、そのタイミングで辞めて、自分で会社でも作ろうかと考えていたんです。

海外にいるためにはどんな仕事があるのかを考えて、ハローワークで「海外　50代」と入れて検索してみたりもしたんですが、その条件だと「該当なし」ばかり。どうしようかな、と思っていたところに早期退職の募集があったので率先して手を挙げました。

早期退職の対象となっていたのは主に50代の従業員でしたが、40代、50代だと子どもが中学生から大学生くらいの方が多いので、大半が躊躇していました。年収もそれなりにある大企業を、本当に辞めてもいいのだろうか、と不安になるんですね。ですが、私は子どもたちがすでに独立していたこともあり、不安はまったくありませんでした。

――そして55歳で早期退職し、日本語教師養成講座に通われたんですね。

中田　日本語教師は資格がなくてもできますが、教えるということはそう簡単ではないという経験もしていました。また、海外で日本語教師として職を得るなら、『日本語教師養成講座420時間の修了』、あるいは『日本語教育能力検定の合格』のどちらかの条件は満たしておいたほうがいい。そこで退職後、すぐに有名な日本語学校を見学し、日本全国に展開しているヒューマンアカデミーを選択しました。そこで日本語の基本的な語彙や文法の教え方など、語学の一連の指導スキルを身につけました。

学生時代の1年間はとても楽しかったです。大半は主婦、OLの方や大学生で、私のようなリタイヤ組も数人いました。一番モチベーションが高いのがリタイヤ組。明日からの生活がかかっていますから、「授業料は自分への投資。元を取らなければ」という気合がみなぎっていましたね。

「自分の価値は技術力」と改めて実感したミャンマー

――講座修了後は、いきなりアルゼンチンに飛ばれたとか。

中田 私は趣味でアルゼンチンタンゴをしていたので、そのダンスの本場に行ってみたいとずっと思っていました。それで、仕事が決まっていたわけでもないけれど、とりあえず行ってみたんです。「ダメだったら戻ってくればいいや」と。そこで、ブエノスアイレス外語大学に日本人の先生がいることを知り、ブログを通して連絡を取り、面接などのやり取りを通して、現地の日本語学校の講師の仕事を紹介してもらったりしました。

アルゼンチンで半年ほど過ごしたあと、スペイン、トルコ、ハンガリー、ミャンマーに行きました。この旅は、日本語学校設立のための市場調査を兼ねていたのですが、その結果、語学学校の設立は難しいという現実と向き合うことになりました。

しかし、ミャンマーの日本語学校に講師として応募したところ、そこの社長が私の履歴書を見て、「ミャンマーの技術者を指導してほしい」と声をかけてくれたんです。そこからエンジニア向けの技術指導や工場のコンサルを手掛けるようになり、今ではこのコンサル業による収入が一番多くなっています。

元々やりたかった日本語教師は土日の副業に(笑)。ですが、自分の価値はやはり長年培ってきた技術力にあるのだと改めて実感できました。

3つのスキルを掛け合わせ、コロナ禍でも強みを発揮

中田　その後、スリランカ、ベトナムと拠点を移し、技術指導や日本語教師をしていましたが、そんな中起こったのが、新型コロナウイルスによるパンデミックです。各国で空港が閉鎖され、現場メインのコンサルはできなくなってしまいました。そこで、オンラインでできることをやろうと思って始めたのが、日本語教師向けの「ＩＣＴを駆使

した教え方の実践指導」です。

語学指導は車の運転と同じで、学校を卒業したあと、実践経験を積まなければ、使いこなせるスキルにはなりません。しかし、その実践の場を得るのもなかなか大変です。

その点私は、専門学校の同窓生、日本語を学びたい外国人生徒の両方のコミュニティを運営していたし、指導をしてきた実績もある。さらに、元エンジニアですから、Ｚｏｏｍをはじめとする様々なオンラインツールも気おくれすることなく取り入れてきました。それらの強みを活かして、日本人教師と外国人生徒を集め、語学教育に使える様々なアプリや、効果的な授業の進め方などを教えています。報酬は教師側から頂いて、生徒は無料です。これはＳＤＧｓの目標４「質の高い教育をみんなに」を意識した取り組みでもあるのです。

――前職で培ったスキルと、学び直しで身につけたスキルを組み合わせて強みにしつつ、常にアップデートされているのですね。

中田　よく言われることでもありますが、３つのスキルを総合的に使うと強みになるということを実感しています。私の場合はエンジニアであり、日本語教師であり、ダンサーでもある。ダンサーをしていると人前での表現力が高まるので、技術や日本語を教えるうえでも、生徒の関心を引く見せ方が得意になります。

私はＴＯＥＩＣは６００点くらいの英語力だと思いますが、教える技術分野に対する専門性に自信があれば、問題ありません。学び直しで英語を、と考えている人も多いと思いますが、合わせて最低一つ、できれば二つ、専門性を磨いておくことが大事です。40代、50代にはこれまでに培ってきたスキルがありますから、それらを掛け算すること

中田氏の「学び直し」と「キャリア」年表

1977年

電気通信系専門学校を卒業、ソニーに入社

2004年　(47歳)

ソニーのエンジニアとして、中国の工場に赴任。現地従業員に日本語を教える難しさを経験

2012年　(55歳)

早期退職。日本語教師養成講座に通う

2013年　(56歳)

講座修了後、即アルゼンチン（趣味のタンゴの本場）へ。現地の日本語学校で講師を務める

2014年　(57歳)

日本語学校設立の市場調査を兼ねて、各国を旅する。その結果、日本語学校設立は断念するものの、ミャンマーで技術者指導を始める

2017年　(60歳)

CSS設立。技術指導のほか、日本人教師向けの「教え方」の指導も手掛ける

海外での指導風景。日本語教師向けに「教え方」を指導するオンラインセミナーも手掛ける

2022年　(65歳)

シネマティック動画を基本とした映像クリエーション事業部を設立

で強みを見出していくといいのではないかと思います。

そして、60代・70代になっても、「庭いじりでもして、のんびり暮らすよ」などと言わず、人生100年時代を元気に生きていけるよう、若い世代と交流し、常に新しい情報に触れ、学び続ける気持ちを維持してほしいと思うのです。私も65歳から始めた新規事業（シネマティック動画の撮影や制作販売）に取り組む中で、そうした心がけを絶やすことなく、毎日を頑張っています。あなたも一緒にチャレンジしていきましょう。

PROFILE

なかた・としゆき●1957年、愛知県生まれ。電気通信系専門学校卒業後、ソニーに入社。製造現場のエンジニア、製造・技術・資材部門のマネージャーを経て、2004年、中国に新設された工場の部品品質保証責任者として赴任。54歳で早期退職制度に応募。海外での日本語学校設立を目指し、ヒューマンアカデミー日本語教師養成講座で1年間学ぶ。17年、CSS設立。ベトナムでの技術指導や日本人学生の海外インターンシップなどを手掛ける。

記憶力の衰えは学習プロセスを楽しむことでカバーできる！

――74歳で司法書士試験に合格した私の勉強法

伊藤忠男
司法書士試験合格者

人生100年時代、学び直しや資格取得が大切だとわかっていても、歳を重ねるたびに、学習における「記憶力の衰え」という壁がどうしてもたちはだかるもの。そんな中、74歳という高齢で司法書士試験に合格したのが伊藤忠男氏。お話をうかがうと、意外にも記憶力の衰えは人並みだというが、難関の試験にどうして合格できたのだろうか。

60歳過ぎてからの受験勉強、74歳での合格までの道のり

――2017年度の司法書士試験では最高齢の74歳で合格されたそうですね。

伊藤　はい、8回目の挑戦で合格しました。初めての挑戦は60歳を過ぎた頃でした。元々は工業高校を卒業後、コンピュータソフト開発のSEやソフト会社の経営など、法律関係とは無縁の仕事をしてきました。しかし、「一度きりの人生、後悔しないためには精一杯生きることが大事。そのためには生涯現役で仕事を続けていきたい」と考えたときに、何らかの資格の取得が必要だと考えました。それで、幼い頃に夢だった法律家に改めて挑戦したいと思ったんです。

最初の3回の受験は、独学での挑戦でした。その数年前に宅建士の資格を取得したときと同じように、市販の受験参考書を購入し、勉強を始めたのです。この頃の受験勉強は、受験参考書をひたすら暗記することに励んでいました。

あとから振り返れば、これが受験が長期戦となった原因の一つだったように思います。司法書士試験は丸暗記で対応できるようなものではなく、憧れていた法律の勉強も楽し

くないと感じるようになっていきました。

――4回目以降の受験では、勉強の仕方をどう変えられたんですか？

伊藤　実は3回目の受験では自己採点で合格したと早合点してしまったこともあり、不合格のショックでしばらくは勉強を再開する気にもなれませんでした。しかし、「生涯現役」でいるためにはこんなことでくじけている場合ではありません。当時はすでに年金生活に入っていて、腰を据えて勉強できる状況になっていたこともあり、勉強の仕方を見直すことから受験勉強を再開しました。受験参考書からいったん離れ、図書館に通って、民法を中心に法律の基本書とされている書籍を片っ端から読み、法律の勉強に必要不可欠な論理的思考を身につけることにしたのです。

さらに、人づてに「伊藤塾」という司法試験や公務員試験の受験指導校の存在を知り、そちらのオンライン講座にお世話になることにしました。独学では自分のペースで勉強できる反面、わからないことがあっても誰にも聞くことができません。特に記述式の勉強に限界を感じていました。しかし、伊藤塾ならネットを通して講師の方に質問をすることもできたので、疑問が生じるとそれが気になって前に進めない私は非常に助かりました。それによって法律に対する理解も深まり、勉強が再び楽しくなっていきました。

繰り返しをいとわず、学習そのものを楽しむ

――勉強の仕方を変えてからの受験はいかがでしたか？

伊藤　それが、4回目の受験は、とんでもない理由で不合格になりました。記述式の試験を受験していないことになっていたのです。原因はおそらく「受験番号・氏名の記入漏れ」。試験に手応えを感じ、自己採点の結果からも合格を確信していたのですが、4度目の受験で慣れてきて油断が生じたのか、歳のせいなのか。とんでもないうっかりミスで、チャンスをふいにしてしまったのです。

その後も、受験前に目の緊急手術が必要になったりして、3度合格を逃しました。こんな遠回りを経て、8回目の挑戦で合格をつかんだのです。

――受験勉強を重ねる中で、ご自身の年齢による変化を感じる場面はありましたか？

伊藤　やはり記憶力は昔に比べて衰えたように感じました。若い方や優秀な方なら1、2回の学習で済むような内容でも、5回、6回と繰り返さなければなかなか頭に入らない。若い頃なら、嫌気がさして勉強をやめてしまっていただろうと思います。ですが、い

つからか繰り返し学習することも苦にならなくなりました。若い頃の勉強は人との競争でしたが、70歳も過ぎると、「昨日の自分と比べてどうか」というところに意識が向くようになったのです。

昨日よりも知識が増えている、理解が深まっている。繰り返す中で新たな論点に気がつく……そうした学ぶ・知る・考えるという学習のプロセスそのものを楽しめるようになりました。伊藤塾がオンライン講座だったのも、自分が納得がいくまで何度でも同じ授業を視聴できるので、良かったのかもしれません。

意欲と健康維持の秘訣は読書とウォーキング

――その後、司法書士としてお仕事をされているのですか？

伊藤　いいえ、結局実務はやっていません。元々は開業を希望していたのですが、そのためには実務経験を積む必要があると考えていました。ところが、74歳という年齢で試験に合格した私は、受け入れ先を見つけることができず、定められた研修は修了したものの、最終的に司法書士登録は断念したのです。ですが、自分自身の年齢もあり、周りには高齢の方々が多いので、相続や遺言に関してご相談をいただき、プロボノ的に対応することもあります。

また、法律の勉強も続けています。先ほど、学びのプロセスそのものを楽しめるようになったというお話をしましたが、それが今も続いているのです。年齢的にも関心が高かった財産管理委任契約、死後事務委任契約等の分野の勉強をしているうちに、信託分野にも興味が湧き、今は民事信託法制、信託税制などにも幅を広げて勉強しています。

特に税務については漫然と勉強するより、何か目標があるほうが知識が身につきやすいと考え、税理士試験の受験生になったつもりで勉強に取り組んでいます。

——学ぶ意欲や心身の健康維持のために、何か心掛けていることはありますか？

伊藤　勉強も兼ねて、毎月10冊ほどの本を図書館で借りて読んでいます。その中には返却期限までに読み切れずに継続して借りているものや、数カ月・数年前に読んで再度借りたものも含まれます。

ジャンルは、法律に関するもののほか、若い頃に熱中した数学の本が多いですね。法律の勉強の息抜きに、解析や統計の本を読んでいるんです。

最近は量子力学の本にも挑戦してみました。内容を完璧に理解できるわけではないの

記憶力は衰えても学ぶ意欲は衰えない！
伊藤忠男氏の勉強法

●丸暗記から論理の理解へ

法的思考とは何かを理解することで、学習が楽しくなった

●繰り返しをいとわない

若い頃より衰えた記憶力は、繰り返し学ぶことでカバー。繰り返すうちに、最初には気がつかなかった論点に気がつくなど、理解や思考もさらに深まった

●学習プロセスそのものを楽しむ

試験の結果や他人との競争ではなく、「昨日の自分と比べて知識は増えているか、理解は深まっているか」に意識を向け、学ぶ・知る・考えるというプロセスを楽しめるように

新たな発見や理解の深まりは、さらに学びたいという意欲を刺激してくれる好循環を生む

学ぶ意欲を保つ習慣

①読書（月に10冊程度）
法律の勉強の息抜きは、若い頃に熱中した数学の本。昔読んだ本を読み返すことで、新たな発見が得られることも

②ウォーキング（1日に6～7㎞）
通るルートもできるだけ毎日変えて、新しい発見を楽しんでいる

ですが、新しい世界に触れることで好奇心が刺激されます。昔読んだ本も、読み返すことで理解が深まったり、新たな発見があったりして、さらに学びたいという意欲をかき立ててくれるんです。

また、身体の健康のためには、6～7㎞を目安に、できるだけ毎日歩くようにしてい

ます。さすがにつらくなってきたので最近はバスを利用していますが、以前は図書館にも歩いて通っていました。歩くときは、なるべく新しい道を通るようにしています。毎日同じ道だと飽きてしまいますが、新しい道なら、様々な発見を楽しめるからです。

こうした日々を送ってきて、若い頃と比べて言葉が出てこなくなったと感じる場面が増えたり、目の手術を繰り返し受けたりと、年齢の影響を感じる面はあっても、学ぶ意欲は衰えていません。こんな凡人の私ではありますが、読者の方々の参考になることがあれば、嬉しく思います。

PROFILE

いとう・ただお●1943年、神奈川県生まれ。工業高校卒業後、コンピュータソフト開発やソフト会社の経営等に従事。60歳を機にそれまで無縁だった法律の勉強を始め、司法書士試験を受験。8度目の挑戦で合格(74歳)。75歳で簡裁訴訟代理等能力認定考査に合格した。

「学び直し」ができるのは、思い立った「そのとき」しかない

――通信教育で仏教を学び、僧侶となり、本願寺の経営トップへ

安永雄玄
本願寺執行長

21年間の銀行勤務を経て、転職した外資系企業での時代に、土日を活用して、仏教だけでなく、様々な「学び」を経験。やがて、ご縁に導かれ、仏教の世界に入り、50歳で得度。２０２２年には本願寺の執行長となった安永雄玄氏が、その人生の中で得られた気づきとは？

「これから何を糧にして生きていくのか」という自問自答の日々

――学び直しのきっかけはバンカー時代、「自分の仕事は世の中のためになっていたのか」という疑問に端を発する、とうかがいました。なぜそのような思いを持たれたのでしょうか?

安永　三和銀行に入行以来、20年以上銀行のために懸命に働いてきました。しかし、それは組織の目標を達成するため。自分が何のためにこの仕事をしているのかが明確でなく、主体的に仕事をしているとは言えなかった。今思えば「大企業病」に陥っていたのだと思います。

加えて、私がケンブリッジ大学の大学院で留学を終えて銀行に戻った1993年、日本では金融バブルが崩壊し、銀行の業務は不良債権の回収に重きが置かれていました。自分の仕事が世の中のためになっているのかという疑問も湧いてきました。

勤め先と他行との合併交渉の話を聞くようになり、99年にはリストラも始まった。私は45歳になっていました。

人生が80年か90年と考えるなら、45歳はもう人生の後半です。上っていく一方の前半と異なり、後半は死に向かっていく時期。そのとき、自分は何を糧にして生きていくのかと自問自答しました。その結果、人生後半は自分のためになり、世の中のためにもなる仕事をしたい、もっと自分を活かす仕事があるのではないかと考え始め、転職活動を始めました。そうして46歳で外資系ヘッドハンティング会社に転職したのです。

メンタル強化のために通信教育で仏教を学んだ!?

――転職後、すぐに仏教の勉強を始めておられます。なぜですか?

安永　ヘッドハンターは自分がリサーチした候補者に営業をかけ、その方をクライアントにご紹介するのが仕事です。銀行で培ったスキルで対応できましたが、自分の内面の不安や迷いがあると、それが結果に如実に表われてしまう。

バンカー以上にメンタルタフネスが不可欠な仕事だとわかりました。それをカバーしたい、不安を感じたり迷ったりしたときに自分の拠って立つものがほしいと思ったのが理由です。

実はこの時期に学んだのは仏教だけではありません。哲学や心理学の本を読み漁り、コーチングやカウンセリング、経絡指圧も勉強したんですよ。

――なんと経絡指圧ですか！　それはまたなぜ？

安永　銀行時代は土日も働くことがありましたが、転職後は土日に休むことができました。その週末の時間を使って、好奇心の赴くままに色々と勉強したのです。経絡指圧もその一つ。遠藤喨及さんという指圧師の方の著書を読んで面白そうだなと思ったのがきっかけです。月1の講座に申し込み、9カ月ほど習いにいきました。

仏教は浄土真宗本願寺派が作った専門学校の通信教育で学びました。当時は年間の授業料がたったの5万円だったのです。せっかくだから僧籍を取得できる一番難しい専修課程にしよう、5万円なら途中で止めることになっても惜しくないと思って始めました。

勉強会とスクーリングで40歳を超えてできた仲間たち

――通信教育の内容はどんなものだったのでしょうか？

安永　専修課程は最短3年で修了できます。普段はテキストだけで勉強しますが、年

1回、1泊2日のスクーリングがありました。ここで声明（しょうみょう）や法話を学び、筆記と実技の試験を受けます。

――土日が休みとはいえ、多忙な仕事の合間に勉強するのは大変だったのでは？

安永　いえいえ。通信教育ですから、レポートや質問票を返すときと、試験の直前だけ勉強すればいいのです。毎日何時間も生真面目に勉強したりはしませんでしたよ。ただし月に2回、築地本願寺で先輩僧侶たちが開催されている勉強会で声明を教えてくださるので、それには真面目に参加していました。

浄土真宗のお経には節がついています。一人でテープを聴いて練習してみても、自分では音程が取れているかどうかよくわかりません。声明ができないと試験に合格しませんので、この勉強会がなければ続けるのは難しかったかもしれません。

この勉強会とスクーリングを通して、食事をしたり試験勉強をしたりする仲間ができました。在籍期限は6年なのでのんびり学べばよかったのですが、勉強熱心な仲間のおかげで私も3年で修了することができました。

――そしてついに得度し、僧侶になるわけですね。

安永　実は得度までするつもりはありませんでした。仲間から「安永さんも記念に得度しなさい」と言われて、好奇心から得度したのです。ちょうど外資系ヘッドハンティング会社から独立して、次の転職先である島本パートナーズの社長に就任したばかりの頃でした。

休みを取って京都の本願寺西山別院で10泊11日の得度習礼に参加し、最終日の前夜に剃髪して得度式を受けました。

知識がスキルに変わると、生き方までも変わる

——では、その時点では僧侶として仏教界で生きていくつもりはなかったということでしょうか？

安永　転職したばかりでしたし、そんなつもりはまったくありませんでしたね。

——仏教を学んだことによって何か変化は起こりましたか？

安永　通信講座を修了して知識を得ただけでは特段の変化はありませんでした。本当の変化が起こったのは、このあとです。

得度したての剃り上げた頭でいた時期に、実家がお寺の先輩と偶然顔を合わせたとこ

ろ、「実家の寺を手伝ってほしい」と頼まれたのです。ご縁と好奇心に導かれ、平日は島本パートナーズの経営、週末に「パートタイム副住職」を務める生活が始まりました。

現実に亡くなった方のご家族を前に、お経を上げて法話をして悩みや苦しみを聞くの

安永氏が40代から始めた学び直し

心理学・コーチング

メンタルタフネスのため、100時間以上を費やして学んだ

仏教の通信教育

47歳で学び始め、50歳で得度し、僧侶となる

経絡指圧

指圧師の著書を読んで、興味を持ち、始めることに

学び直しにお金や時間を投資し、ご縁のあった仏教の世界に進んだ

は楽ではありませんでした。ご家族に感情移入して自分がつらい思いをすることもあったからです。

ただ、仏教の世界は組織の目標の達成をひたすら追求するビジネスの世界と違い、すべてが「私次第」。ノルマはなく、頼まれた仕事をお受けするのが基本です。嫌ならやらなければいい。それでも自分が「して差し上げたい」と思うからする。次第に、自分のために働くことが人様のためにもなる「自利利他」の世界で生きることが私のやりがいになっていきました。

例えば、娘を亡くして悲しんでいる自分と同じぐらいの歳のお父さんに、どういう言葉をかけることができるでしょうか？

通り一遍に「ああ、それは残念でしたね。またお参りに来てください」と言うのか、もう一歩踏み込んで「お困り事があったら何でも相談してくださいね」と言うのか。僧侶としての私は後者でした。人の悲しみに寄り添うこと、仏教的な考えを受け入れることによってご家族が楽になっていくプロセスに立ち会うことにやりがいを見出していきました。

僧侶としての「知識」が「スキル」に変わり、生き方も変わっていったのです。

「自分の思うところに従って生きる」と決めた人生

——その後、安永さんは浄土真宗本願寺派の有識者の会「拓心会」のメンバーを経て、2012年に浄土真宗本願寺派の常務委員、築地本願寺の評議員として「社外取締役」的な役割を果たされます。改革案を忌憚なく提言した結果、15年には築地本願寺の代表役員・宗務長に就任し、実際の改革を任されました。改革に際しては反対もあったと思いますが、不安になったり迷ったりすることはなかったのでしょうか？

安永　仕事はあったのに、それを捨てて仏教の世界に入ったのは、この世界で自分がお役に立てるのではという思いがあったからです。ここで栄達しようと思っていたら、反対にすぐに屈していたかもしれません。

けれども私は仏教の世界に進んで入り、自分の思うところに従って生きると決めました。だから決して諦めませんでした。反対する方がいらっしゃれば、こちらから出向いて粘り強くお話しする。そのうち、「こんなことできるかな」とお任せいただけるようになりました。

ビジネスと一緒です。繰り返しお客様のもとに通いながら、お客様がふと漏らされた悩みに対するご提案を持っていくと、それが取引の糸口になったりする。自分の信念に沿う仕事であれば決して諦めないことです。

人生哲学があると、悩むことが減る

――仏教はビジネスパーソンとも相性が良さそうですね。

安永 人によって相性のいい宗教は違いますが、信仰が自分の精神のバランスを取るのに役立つのは確かです。一つのことに一生懸命に取り組む支えにもなります。「自分はこういうことのために生きているのだ」という人生哲学があれば、不確実な時代であってもそれを起点に物事を決断しやすくなる。悩むことは減っていくと思います。

2022年にお亡くなりになった京セラ創業者の稲盛和夫さんが、その好例でしょう。すでに京セラの名誉会長だった65歳のとき、得度されています。

あの稲盛さんをもってしても、厳しいビジネスの世界を生き抜いていくのに人生哲学、つまり信仰が必要だった。信仰によって自身の内面のバランスを取ってきたのだと私は考えています。

――何を勉強すべきかわからない、時間がないと学び直しを躊躇している40代・50代にアドバイスをお願いします。

安永　40代・50代は子どもの学費など、人生で一番お金のかかる時期です。一方で、人生の中盤から後半にかけての一種の「花の時期」でもあります。仕事は一生懸命しつつ、好奇心に従ってまずは一歩を踏み出してほしい。

好奇心は前々からの「やってみたいな」という思いが表われてきたものです。その気持ちは大事にしたほうがいい。

一歩を踏み出すとき、成功しよう、儲けようと思わないことも大事です。小さく始めて、自分に合わないと思えば方向転換すればいい。合っていると思うなら、さらにお金と時間を投資してみましょう。ここが、知識がスキルになり、スキルが自分のものになるかどうかの分かれ道になります。

新しい世界が広がり深まっていけば、本業と両立してもいいし、どこかで乗り換えてもいいと思います。

人生で最大の財産は「時間」です。お金にこだわりすぎると時間が逃げていきます。学び直しができるのは思い立った「そのとき」しかないのです。

PROFILE

やすなが・ゆうげん●1954年、東京生まれ。慶應義塾大学経済学部卒業。ケンブリッジ大学大学院博士課程修了。三和銀行(現・㈱三菱UFJ銀行)に21年間勤務。その後、外資系大手エグゼクティブ・サーチ会社を経て独立し、㈱島本パートナーズの代表取締役社長に就任。2015年、築地本願寺代表役員・宗務長に就任。僧侶組織のトップとして法務に従事すると共に、寺院の運営管理や首都圏での個人を対象にした新しいかたちの伝道布教活動を企画推進。22年に本願寺(浄土真宗本願寺派本山・西本願寺)執行長に就任。著書に『築地本願寺の経営学』(東洋経済新報社)などがある。

第2講で『THE21』編集部が学び得た
「学び直し」のテーマと出会うための4つのコツ

▼「キャリアビジョン」をもつ

豊かな人生を送るには、まず将来への危機意識を持つ。よく考えつつも、ともかく動いてみる。時や縁に応じて前進することで進むべき道は見えてくる。

▼「新しい自分」を発見する

今、自分の持っているスキル、経験、人間力を把握し直そう。それらを掛け合わせたときに、自らが発揮すべき強み、「新しい自分」が、あらわれる。

▼「専門性」を高める

60代、70代になっても食べていける専門分野がある人は強い。日々の仕事に埋没せず、専門性を高める努力を絶やさないようにしよう。

▼収入だけで選ばない

稼げるスキル・資格の取得は望ましいが、興味のないものでは、学びが続かない。幸せに楽しく生きるための学び直しであることは忘れずに。

第3講

「どのように」学び直すか

――稼ぐ力を手に入れる!

リスキリング実践のための4つのスキルと10のプロセス

——磨くべきは「自分の強み」×「デジタルスキル」

後藤宗明
(一社)ジャパン・リスキリング・イニシアチブ代表理事
SkyHive Technologies 日本代表

これからの時代はデジタルスキルを身につけ、自らをアップデートし続けなければ生き残れない——そのためにミドル世代が身につけるべき必須スキルとその実践プロセスを、自らの経験をもとに、政策提言やコンサルティング・研修を手がける「リスキリング」の第一人者・後藤宗明氏にうかがった。

「学ぶだけ」ではリスキリングにならない

最近は日本でも「**リスキリング**」という言葉をよく耳にするようになりました。これを「学び直し」と和訳することが多いのですが、実は本来の意味を正確に捉えた表現とは言えません。

国語辞典によれば、「学び直し」とは「忘れたことをもう一度学ぶこと」を意味します。一方、英語の「reskilling」の意味は「新しいスキルを(再)習得すること」です。

スキルとは働くための技能や技術であり、必ず職業や業務に直結します。裏を返せば、いくら勉強しても、新しい職業や業務に就くことにつながらなければリスキリングにはならないのです。個人の視点でよりわかりやすく表現するなら、リスキリングは次のように定義できます。

「**新しいことを学び、新しいスキルを身につけて実践し、新しい業務や職業に就くこと**」。

まずはこの点を正しく理解していただく必要があります。

そもそも、2010年代半ばから米国でリスキリングが注目され始めた背景には、「技術的失業」があります。テクノロジーの進化によって人間の労働がＡＩやロボットに代替され、多くの労働者が仕事を失うことになる。その解決策として、新たなスキルを再習得させて、デジタル分野をはじめとする成長産業へ労働力を移行させる取り組みが広まりました。

その一方で、進化するテクノロジーを活用し、新しいビジネスや事業を創出する高度デジタル人材の不足も課題となりました。失業者を減らすという、ある種の後ろ向きな意味合いだけでなく、国の産業や企業をより大きく発展させるという前向きな文脈でも、リスキリングが有効であるとされたのです。

技術的失業は決して米国だけに限った問題ではありません。デジタル後進国と呼ばれる日本でも、コロナ禍を機に本腰を入れてＤＸに取り組む企業が増えるなど、確実にデジタル化の波は押し寄せています。日本のビジネスパーソンも、リスキリングが必須となりつつあるのです。

テック経験ゼロの40歳から10年かけてリスキリング

実は私自身、40歳からリスキリングを始めた一人です。様々な事情から職を失ったあと、幸いにも外資系フィンテック企業の日本進出を手伝うチャンスをもらったのですが、それまでの私はテクノロジー分野の経験がゼロ。最初はミーティングの内容すらまったく理解できない有様でした。

そこからデジタル分野の学習と実践を繰り返し、10年経った現在は、米国シリコンバレーのテック企業で日本代表を務めるまでになりました。その10年間は様々な苦労も経験しましたが、あのときリスキリングを始めていなければ、今のキャリアはなかったと実感しています。

ただし冒頭でも述べたように、「学び直し」という訳語のイメージもあり、日本のリスキリングは学習そのものに重点が置かれ、必ずしも学んだことが職業や業務につながっていないケースも多いのが現状です。

日本ではリスキリングと「リカレント教育」が混同されることも多いのですが、後者は人生100年時代を豊かに暮らすための生涯学習を指し、趣味や教養など職業とは関係ない学びも含みます。もちろんこれも大事な学びではありますが、人生が長くなれば働く期間も長くなります。60代後半や70代になっても現役で働き続けるには、年齢を重ねても新しいスキルを身につけて実践し、自分の市場価値を高めていく必要があります。新しい業務や職業につなげるといっても、いきなり転職や独立をしろと言っているのではありません。まずは現在の環境を活用してリスキリングを実践し、今いる場所で新しいスキルを身につけ、チャンスがあれば自分をより高く評価してくれる場所へ移れるように準備しておく。それがこれからの時代を生き抜くための生存戦略です。

転職しなくても、新しい業務や仕事は経験できます。例えば今の職場でデジタルを活用した新規事業の企画提案をしたり、新しいデジタルツールを導入する際に自ら手を挙げて担当者を引き受けたりすれば、学んだことを実践する機会を作れます。頑張って成果を出せば、デジタルスキルのある人材として、外の世界でも必要とされるビジネスパーソンになれるでしょう。

リスキリングを阻む3つの壁とは?

では個人がリスキリングを行なう場合、どのように進めればいいのでしょうか。私はリスキリングに至るプロセスを4つのスキルで説明しています。

①**アンラーニング(学習棄却)**　以前習得した情報、知識、成功体験等で陳腐化しているものをリセットし、新たに受け入れる態勢を意識的に作り出す

②**アダプタビリティ(適応力)**　自分自身の「認知→理解→行動」のプロセスを客観的に評価し、ＡＱ(適応指数)をブーストさせる

③**プランニング(未来予測)**　将来起こり得る「非連続・想定外」な未来のシナリオを複数描き、それに基づいて戦略を導き出す

④**リスキリング(スキル再習得)**　ＤＸ時代に求められるデジタルリテラシー向上および現在・未来に必要となる新たなスキルを獲得する

以上がＶＵＣＡの時代を乗り越え、未来を創造するために必須となる4スキルです。

1つ目のアンラーニングは、特にミドル世代にとって非常に重要です。社会人として長く経験を積んだベテランほど、過去に習得した知識や成功体験が多く、新しいものを受け入れにくくなっています。よって新しい環境を受け入れるためのマインドセットが必要です。

中でも**リスキリングを阻む大きな壁になるのが、「執着」「過剰なプライド」「ノスタルジー」の3つ**です。「今の生活を変えたくない」「新しいことを学ぶために苦労したくない」

といった現状への執着や、自分の意見や考えが常に正しいと思い込むプライドの高さ、「あの頃は良かった」と過去を懐かしむ気持ちなどが、新しいスキルの習得を難しくします。ミドル世代はリスキリングを開始する前に、この3つを捨てることを意識してください。

周囲のニーズを意識し、適応力を強化する

意識的にアンラーニングできるようになったら、次に行なうのが2つ目に挙げた適応力の強化です。**AQ（適応指数）とは、外部環境に適応する能力を計測する指標で、最近シリコンバレーで注目が高まっています。**

AQを高めるには、「自分は周りから何を求められているか」を意識することが大事です。市場価値の高い人材とは、組織や顧客のニーズに応えられる人材です。いくら自分が対面で営業したいと思っても、相手から「オンラインでお願いしたい」と言われれば、デジタルツールを使って対応するしかありません。

自分がやりたいことだけにこだわらず、周囲が求めることに応じて柔軟に自分の意識や行動を変化させる。それを心がけることで適応力が高まり、リスキリングでも新しい

学びを受け入れやすくなります。

3つ目のプランニングは、未来変化を予測し、自分の人生を計画するスキルです。リスキリングはあくまで手段であり、その先に目的がなければ、何をどう学ぶかの戦略も描けません。

人生の計画を立てる際は、経営戦略や事業戦略の策定に使われるシナリオプランニングの手法が役立ちます。

例えば自分が社内で次長のポジションにいるとして、「プランA：部長に昇格する」「プランB：次長のまま役職定年を迎える」「プランC：早期退職の対象になる」といった複数のシナリオを描き、それぞれのケースに備えて何ができるかを考えてみましょう。もし早期退職になる可能性があるなら、「今のうちにデジタルスキルの講座を受けて、早めに転職に備えよう」といった方向性が見えてきます。

リスキリングを実践する「10のプロセス」

以上の3つを経て、ようやく4つ目のリスキリングが実のあるものになります。具体的なリスキリングの進め方については、次の10のプロセスを参考にしていただくといいでしょう。

①現状評価
②マインドセット作り
③デジタルリテラシーの向上
④キャリアプランニング
⑤情報収集の仕組み作り
⑥学習開始
⑦デジタルツールの活用
⑧アウトプットに挑戦
⑨学習履歴とスキル証明
⑩新しいキャリア、仕事の選択

10のプロセスは必ずしも順番通りに行なうべきものではなく、できることから取り組んで構いません。ただし「①現状評価」はリスキリングを継続するうえで重要なので、できれば最初に行なうことをお勧めします。

現状評価が大事な理由は、今の自分自身を振り返り、内発的動機になるものを見つければ、リスキリングに取り組む原動力となるからです。具体的には以下の6つを確認します。

- **自分の現在の興味関心**
- **自分が解決したい課題**
- **自分の強み、好き嫌い**
- **今までのキャリア**
- **自分が持っているスキル**
- **組織における自分の評価**

この時点で自分の好きなことや強みがはっきりわかった人は、「自分の強み×デジタルスキル」を磨いていくといいでしょう。「自分には強みなんてない」「特に好きなこともない」という人は、「無意識に継続していること」を探してみてください。

例えば、「メールがきたら即座に返信する」「人の相談に乗るのは苦にならない」といった、小さなことで構いません。意識しなくても無理なくずっとやっていることに、自分の強みが隠れています。リスキリングに取り組むうえで、それを自分の武器にすると、無理なく進められます。

加えて重要なのが、「⑤情報収集の仕組み作り」です。リスキリングの過程では、スキル再習得を目指す分野の情報に囲まれて過ごすことが重要となります。ＡＩ関連の職業を目指すのであれば、ＡＩのニュースや話題なら何でも自分の目に触れるようにしておけば、インプットの量がどんどん増えます。

仕組み作りに役立つのが、Googleアプリのレコメンデーション機能です。これはGoogleの検索履歴に基づき、自分好みの記事や動画をピックアップして、アプリのトップ画面に自動で表示してくれる仕組みです。

例えば「機械学習」で検索し、ヒットした記事を読むうちに、レコメンデーション機能によって「この人は機械学習に興味がある」というフラグが立ち、次第にGoogleアプリのトップに機械学習に関する最新ニュースが表示されるようになります。日頃から自分が目指す分野のキーワードを意識的に検索することで、スマホの中に役立つ情報の集合体を作れるのです。

またトップ画面に表示される記事(カード)の下についているハートマークをタップすると、その情報が高評価であると記録されます。同様に記事の右下にある「…」をタップし、「このカードに興味がない」を選ぶと、記事の表示が消えます。これにより、自分が興味のある記事の表示頻度がさらに高まります。

スキルの隣接性に着目し、新しい職に就く機会をつかむ

「④キャリアプランニング」では、「類似スキル」「隣接スキル」という考え方が役立ちます。

これは自分が現在持つスキルと類似性があるスキルや、関係性の深いスキルを指す言葉です。リスキリング後のキャリアパスを描く際は「類似スキル・隣接スキル×テクノロジー」のかけ算で考えると、デジタル産業などの成長分野で新しい職に就くチャンスが生まれます。

例えばマーケティングの分野で働く人が、ＡＩ関連の仕事を目指す場合を考えてみましょう。

現在保有するスキルに「ソーシャル・リスニング（ＳＮＳ上のユーザー間の会話を収集・分析する手法）」があるとします。このスキルとＡＩ分野をつなぐ隣接スキルが「センチメント分析」です。

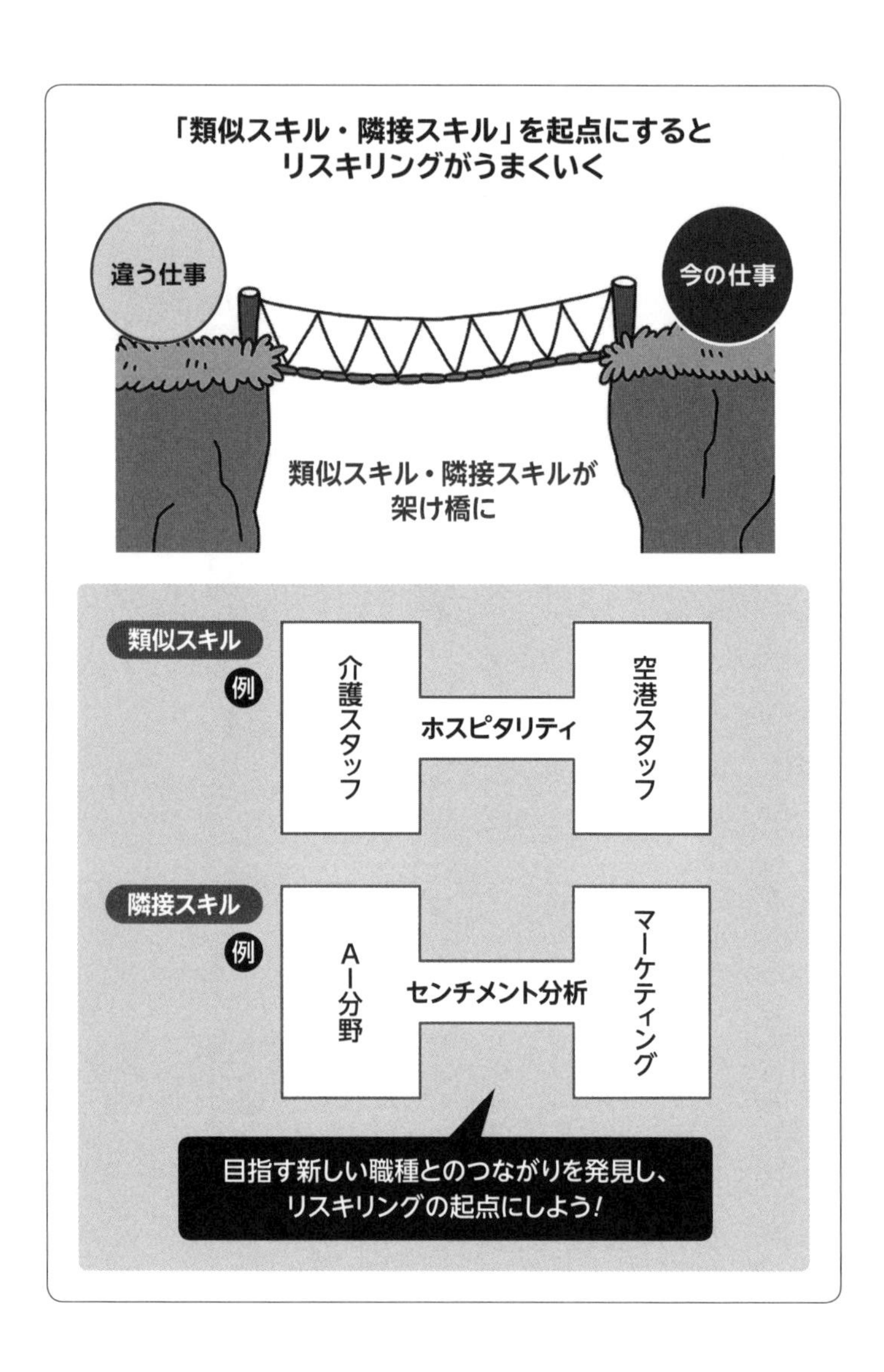
「類似スキル・隣接スキル」を起点にすると
リスキリングがうまくいく
違う仕事
今の仕事
類似スキル・隣接スキルが
架け橋に
類似スキル
例
介護スタッフ
ホスピタリティ
空港スタッフ
隣接スキル
例
AI分野
センチメント分析
マーケティング
目指す新しい職種とのつながりを発見し、
リスキリングの起点にしよう!

これはネット上の投稿やコメントから特定の個人が持つ感情を分析する手法で、マーケティング分野でこの分析を行なうときは、ＡＩによる自然言語処理の技術を利用します。よってソーシャル・リスニングのスキルを持つマーケティング担当者は、センチメント分析にも精通している可能性が高いため、この隣接スキルをベースに自然言語処理をリスキリングすれば、ＡＩ分野の仕事に就きやすくなります。

ぜひ皆さんも**リスキリングのための４スキルと10のステップを活用して、自らをデジタル人材へと進化**させてください。

PROFILE

ごとう・むねあき●早稲田大学卒業後、富士銀行（現・㈱みずほ銀行）入行。渡米後、グローバル研修領域で起業。NPO法人、米フィンテック企業、通信ベンチャー、アクセンチュアを経て、AIスタートアップABEJAのシリコンバレー拠点設立に携わる。２０２１年、日本初のリスキリングに特化した(一社)ジャパン・リスキリング・イニシアチブを設立。22年、SkyHive Technologies日本代表に就任。著書に『自分のスキルをアップデートし続ける リスキリング』(日本能率協会マネジメントセンター)がある。

頭の中を視覚化するだけで、すぐ行動できるようになる！

——勉強を続けるのが楽しくなる目的設定と仲間の作り方

石川和男
税理士、建設会社役員

必要なことはわかっていながら、多忙な日々を理由に、学び直しを始められずにいる人も多いはず。一方、石川和男氏は、ブラックな職場で働いていた時代に難関の税理士試験に合格するなど、学び直しで新たなキャリアを切り拓いてきた。そんな石川氏に、勉強のやる気の持続法と、すきま時間でできる具体的な勉強法を教えてもらった。

学び直しによってブラックな環境から脱出

私が学び直しの重要性に目覚めたエピソードを紹介します。新卒で入社した会社は、いわゆるブラック企業でした。経理を担当し、毎日、理不尽なことで怒られ怒鳴られる日々。

ある日、顧問税理士が会社に来たとき、上司たちが「先生、先生！」と三顧の礼で迎えている。「これだ！」と思いました。**自分も先生と呼ばれ、経営者や役員と対等に話せるようになりたい**。一念発起して勉強し、税理士の資格を取りました。そこから人生が急激に変わり始めたのです。

こんなこともありました。「建設業経理士1級」という資格は難易度が高く、経理のベテランを含め、誰も資格取得者がいませんでした。そんな中、私が社内で初めて合格できたのです。

すると役員からは褒められ、業務経験が何十年と差のある先輩社員からも一目置かれるようになり、自分の意見が通るようになりました。

心理学用語で「ハロー効果」と言いますが、**取得の難しい資格を持ったことで、仕事**

全般に関して何でもやれる人だと思ってもらえるようになったのです。

つきあう友人も変わりました。これまでの人生で一度も会ったことがないような人たちと仲間になれました。

経営者たちと対等に話ができるようになったのもその一つです。**勉強を続けると、いい仲間と一緒にいられる**。そのことを強く実感しています。

また、資格試験を目指して勉強を重ねたことで、予備校講師になれたりと、人の役に立ち、記憶に残り、人を導ける仕事に就けるようになりました。勉強を重ねて自分の人生を豊かにすることで、そうした機会は確実に増えていきます。

「目標」ではなく「目的」が行動を起こす動機になる

「学び直し」を始める前に、なぜ勉強をするのか、その「目的」を考えることが重要です。よく言われることですが、勉強のモチベーションを維持するには、「目標」を立てることが不可欠です。目標とは、目的を達成するための具体的な目印のこと。ゴールに向かう標識のようなものです。

途中で挫折しないための勉強の「目的」設定法

① 勉強を始めることによって生まれるメリット、デメリットを書き出す

メリット	デメリット

デメリットは勉強を始めない言い訳になるので、深掘りして潰すようにする

② 「目標」と「目的」を分けて考える

目標	目的
独立したい	会社に頼らず自分の力でお金を稼げるようになりたい
税理士になりたい	定年後に世界中を飛び回って、様々な国の人とコミュニケーションを取れるようになりたい

ゴールに向かうための具体的な目印となるもの。行動するための動機となるには少し弱い

ゴールであり、人生で成し遂げたいこと。強いモチベーションの維持につながる

ここで重要なのは、**目標を立てただけで満足せずに、「目的」まで考え抜くこと**です。例えば、「独立したい」「税理士になりたい」などは単なる「目標」です。働いている人は基本的に忙しいですから、目標を立てること自体が目的化してしまい、途中で挫折し、勉強を諦めてしまうことになりかねません。目標を決めるだけでは、行動するための動機が乏しいのです。

そこで、目標からさらに深めて目的を考えます。**目的とはゴールであり、人生で成し遂げたいこと**です。お金を稼げるようになること、自分の心を豊かにすること、を目的にしてもよいのです。定年後に世界中を飛び回って話せることを目的にして、毎日英語を勉強するのも素敵です。

私の場合は、「このままブラック企業に勤め続ける人生は嫌なので、抜け出したい」「税理士になれば、経営者も先生と呼んでくれる。経営者と対等になりたい」――これが目的でした。

目的意識が強ければ強いほど、勉強するモチベーションを高く維持できます。あなたの人生の目的は何なのか、じっくり考えながら書き出してください。

頭の中を視覚化すると行動を起こせるようになる

目的と目標を定めたうえで、それらを達成するまでの期限を設けます。いつまでにやるのか期限を作らないと、人は行動しません。

私は現在、55歳です。自分の人生を俯瞰して見れば、限りある残された時間に気づきます。最短ルートで目的を実現するためには、目的と目標に加えて、それを達成するまでのタイムリミットを紙に書いて、視覚化します。期限こそが、人を動かすからです。

それでも行動できない方は、行動を起こすことに対して漠然とした不安を抱いているのかもしれません。確かに独立、転職といった大きな決断が目標だと、不安を感じることもあると思います。しかし、漠然と頭の中だけでイメージを膨らませてしまうと、余計に不安の感情が大きくなってしまいます。

そこで、紙に書いて視覚化してみる。すると、実は大した不安ではなかったと気づけることがあります。例えば、今から税理士を目指すとするなら、**まずは勉強を始めるメリットとデメリットを紙に書き出してみましょう**。

まずデメリットから書きます。勉強にかかるお金で、子どもの大学の学費や家のローンが圧迫される、年齢から来るタイムリミットなどが書けるでしょう。

一方、メリットも同じように書き出します。自分の好きなことがやれる。後悔しない自分の人生を歩める。独立すれば一国一城の主になれる。嫌いな上司と一緒にいなくて済む——などが書けると思います。

この作業によって、それまで漠然としていた不安が、客観視できるようになります。**不安を書き出す行為は、すなわち不安の元を分解する行為**です。書くことによって具体的に解決する方法や、クリアすべき点が明確になります。

例えば、あと3年で子どもが大学を卒業するので、3年間は固定給の会社員でいよう。あと5年で家のローンを払い終わって月10万円の支払いが浮くから、そのあと独立しようとか、具体的にすることで不安が拭えたり軽減されたりします。

不安が拭えると、今度は新しいやる気やモチベーションが芽生え、気持ちが高まってくるはずです。この作業を一度行なうと、「本当の不安」ではないこと、つまり、やらない言い訳をしていただけの取り越し苦労にも気づけます。もし本質的な不安の存在に気づけたら、それを解消するにはどうすればいいのかを考えることができます。

要するに、行動できるかできないかの違いは、やりたいことのイメージが頭の中にあるか、外に出したかの違いであることが多いのです。頭の中にあることをまずは書き出す。これが最初の一歩を踏み出すコツです。そこからすべてが動き出します。

目標を立てる際は、いきなり高い目標を立てるよりは、比較的取り組みやすい目標から始めるのがお勧めです。私自身も、難関の税理士資格に挑戦する前に、より合格率が高く、難易度が低めの日商簿記検定試験3級から受験を始めました。こうして段階を設けて目標を設定するのも一つの手です。

「朝の30分間」から始めて、まずは勉強グセをつけよう

勉強法についてですが、まずは朝の30分間、目標を達成するための勉強に時間を充てます。日本の社会人は平均で1日6分間しか勉強をしていないと言われています。1日30分間をクリアできるだけでも、平均値から頭一つ抜け出せます。

最初は耐えながらの30分間だったのが、だんだん楽しくなり、次第にもうちょっとやりたくなって、1時間、2時間と必ず伸びていくはずです。良い循環で勉強時間が増え

すきま時間をとことん活かす
1日30分勉強法

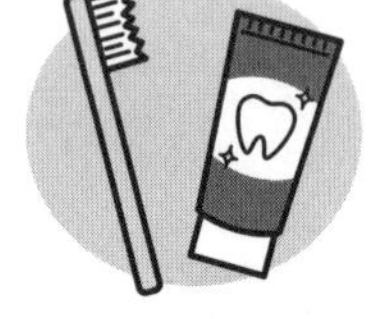

お店で注文するものをあらかじめ決めておいて、すぐに注文して勉強する

歯磨きのとき空いた片手で単語帳を開いて覚える

小さなすきま時間を見つけて、1日30分でも勉強を続ければ、クセがつき、2時間、3時間と勉強時間も増えていく！

て、勉強グセがつけばこちらのもの。そこまでいけたら、すきま時間の活用をお勧めします。

私が税理士の試験勉強をしていたときは、**参考書のテキストを20ページ分だけコピー**していました。それを持ち歩き、スッと気軽に取り出せるよう、かばんの中に常備。それこそ信号待ちのちょっとした時間にコピーの束を取り出して活用していました。「この20ページ分だけは外出中にやり切る」と期限を設定していました。

他にも、スマホをいじっている時間やゲームをしている時間、お昼休憩など、細々とした時間が捻出できます。電車に乗っている間や、歯を磨く間に英単語帳を覚えるのもすきま時間の使い方です。

あるいは、喫茶店に入って席に座ってからメニューを選ぶのではなく、着くまでにメニューを決めておいて、すぐに勉強に取りかかるとか。片手で勉強しながら、もう片方の手でおにぎりを食べるとか。極端な例かもしれませんが、**すきま時間を作る意識を持ち、何をするかあらかじめ決めておくのがポイント**です。

人によっては、会社の通勤の往復でＪＲ特別車両のグリーン車に乗るのも手です。グリーン車であれば、椅子に座ってテキストやパソコンを開いて勉強できます。お金を払って座れる場所を買うことで、その分を回収しようという意識が働き、モチベーション高く、時間効率良く勉強に励めます。

下車する駅までにここまで進めようと期限を決めることで集中力を高められる効果も発揮されます。こうした積み重ねは膨大な時間になるので侮れません。

ピンポイントで復習可能な「間違いノート」を常備する

特に資格試験の勉強の際に効率良く勉強するには「間違いノート」を作るのも有効で

40代・50代がやるべき
効率の良い勉強法
やってはいけない悪い勉強法

**○ 書いて
アウトプットする**

きれいにノートを書くことを目的化せず、なぐり書きでもよいので、自分で間違った部分を書き、それを何度も繰り返し見て、頭の中に定着させるようにする

**× 読むだけ、
動画を観るだけ**

オンラインカリキュラムではやってしまいがちだが、参考書を読むだけ、講義動画を観るだけでは、頭に入りにくい。読む・観る＝3：解く・書く＝7くらいの割合でしっかりアウトプットすることを心がける

す。「間違いノート」は、何度も間違えている箇所を書き記し、なぜ間違えたのか理解が追いつかない箇所をあとから改めて復習するためのノートです。

その際、きれいにノートを書くことを目的化しないことがコツです。きれいに書く時間がそもそももったいないので、自分があとから読める程度のなぐり書きをして、何度も繰り返し見ることで効率良く頭に定着させていきます。私はこの間違いノートをすきま時間に見返したり、試験日に見直したりするのに使っていました。

逆に**時間効率が悪いのは、アウトプットを伴わずにインプットだけを行なっている勉強法**。

読むだけだとラクなので、インプットだけでも勉強した気になってしまいます。しかし、勉強ではアウトプットが必須なので、時間の比率は7割をアウトプットに充てましょう。

その際、必ず手で書いて覚えること。また、資格試験が目標の場合は、まずは過去問を必ず最初に解いてください。全体をザッとひと通り目を通して読んでみるだけでも違います。もちろん勉強する前ですから、ほとんどの問題が解けず、苦行のようなストレスを感じます。でも過去問で問題構成の全体像を把握してから勉強を始めるほうが、頭への入り方、理解度の速さも大きく違ってきます。

「山登り」のような勉強を続け、はかどらせる方法

自宅で勉強をしていると、様々な誘惑が目に入ってきて集中できないことがありますよね。そんなときは、場所を変えてみるのがお勧めです。公園のベンチでも、どこでも構いません。

最も効果的だと思われるのが、図書館の自習室です。周囲の人が勉強している、そう

意識すると、自然と自分も勉強に集中できるという経験が誰にでもあるのではないでしょうか。「周りも勉強している。苦しいのは自分だけではない」と思える環境があるだけで、不思議と勉強がはかどったりします。

人によっては、喫茶店で周囲に人がいるだけでも集中できるかもしれません。喫茶店が無理な方は、バーチャルのグループに入ってみるのも一つの手です。**Facebook、Twitterなどで一緒に黙々と勉強する「もくもく仲間」**を募っていることがあります。

サブスクリプション型のオンラインカリキュラムでも勉強はできますが、孤独に勉強するのはつらいもの。むしろ、相談できる仲間や講師がいない独学では、非効率でムダな勉強をしてしまう可能性も大いにあります。

そんなときは通学に変えてみるのも一つの方法です。資格のスクールなど対面式の講座に通えば、もしかしたら新しい出会いもあるかもしれません。同じ志を持った人たちの集まりですから、声をかけても不自然ではありません。仲間やライバルができれば、お互いが刺激になり、相乗効果も期待できます。

実際に私は完全な独学に限界を感じて、資格取得のスクールに通いました。するとこれまでの人生で会ったことがなかった人たちに会い、勉強の仕方に大いに刺激を受けました。会社では出会えなかった人たちと出会えてとても刺激をもらえます。いい仲間たちが、自分を高みへと連れて行ってくれますよ。

もちろん勉強は何かを犠牲にしなければならないこともあるので、つらいときもあります。しかしそれは山登りのようなもので、登頂したときの達成感は他に代えがたいものがあります。なかなか**勉強に気乗りしないときは、終わったときに自分へご褒美をあげる**のもいい手です。私の場合は、コンビニの唐揚げ。ささやかなご褒美を設定しつつ、勉強を続けてみてください。

PROFILE

いしかわ・かずお●1968年、北海道生まれ。大学卒業後、建設会社に入社。深夜残業ばかりで生産性の上がらない日々に嫌気がさし、一念発起。日商簿記3級から日商簿記2級、宅地建物取引士(宅建)、建設業経理士1級、税理士と数多くの資格試験に合格。簿記や会計のセミナーを全国で開催する人気講師としても活躍している。著書に『僕たちに残されている時間は「朝」しかない。』(総合法令出版)、『仕事が速い人は、「これ」しかやらない』(PHP研究所)など多数。

資格取得は良い「学び直し」、働きながら最短合格！

――300以上の資格を持つ「資格ソムリエ」の勉強法

資格ソムリエ、はやし総合支援事務所代表
林 雄次

社会保険労務士、行政書士、中小企業診断士、宅地建物取引士、社会福祉士、相続診断士、温泉ソムリエ、無人島サバイバル検定……。難関資格から趣味になるものまで、働きながら300以上もの資格を取得してきたという林雄次氏。資格取得に最も必要だと語る、勉強計画の立て方とユニークな勉強法を教えてもらった。

知的好奇心の満足が資格取得の最大の喜び

「ITに詳しい社労士・行政書士」として事務所を営む私のもう一つの顔は、「資格ソムリエ®」。私自身、社労士と行政書士の他、中小企業診断士、キャリアコンサルタント、ITストラテジスト、果ては「僧侶」まで、**保有資格は現時点で300**にのぼります。

現在40代の私には、資格取得は良い学び直しになっています。

なぜ、そんなに資格を取るのか。最も大きな理由は知識欲です。知的好奇心のままに物事を知ることが、楽しみになっているのです。

初めての資格は、中学2年生のときに取った危険物取扱者試験。所属していた科学部の顧問の先生に勧められて取りました。

高校レベルの物理や化学の基礎知識が必要でしたが、興味のある分野だったので、勉強に苦痛は覚えませんでした。興味のあること、つまり**「好き」なことについて知識を得るのは、本来楽しいもの**なのです。

二つ目の理由は、大人になってから生まれたもの。学校や会社など、属している場所「以外」の第三者から、技能や知識を認証してもらえる喜びです。これはビジネスパーソンの方々も共感できるところではないでしょうか。

そして最後の理由は、キャリアに役立つこと。**スキルをグレードアップさせることはもちろん、副業を始めたり独立したり、といった道も拓けます**。

私が進んだ道も、独立開業でした。元々の職業はエンジニア。会社勤めのかたわら、社労士資格を目指したことが、今の仕事へとつながっています。

「IT×社労士資格」で副収入が1500万円に!

私が勤めていたIT企業には、資格取得の奨励制度がありました。所定の資格を取得した社員には一時金や月次手当が支給されるとあって、私も意欲的に取り組みました。

IT系の資格をひと通り取得したあと、簿記などのビジネス系にもチャレンジ。その先で、社労士資格を取得しました。

取得後は会社に副業を申請したものの、最初はさほど多くの依頼はありませんでした。しかし、思わぬ形で転機が来ました。ある方から「ITと社労士の組み合わせって、林さんだけでは？」と言われたことで、ハッと目を開かされたのです。
「社労士」だけならば全国に約4万人いるうちの一人にすぎませんが、「ＩＴに強い社労士」となると希少価値は一気に上がります。それを看板にして、数々の会社と顧問契約を結んでいきました。

ここは、これから資格を取る方々にぜひ注目していただきたいポイントです。取りたての資格で、一から出発しようとするのは間違いのもと。本業と切り離して副業で店開きしても、初心者が一人誕生しただけです。

取った資格を活かすなら、これまでのキャリアと「掛け合わせる」のが成功の秘訣です。その結果、私は副業2年目に１５００万円の副収入を得ました。本業の倍ほどですから、もはや「副」とは言えません。多忙さも極みに達したため、独立を決め、現在に至ります。

「旅行計画」と同じように資格取得の準備をしよう

「働きながら」の資格取得は、コツさえ押さえれば、たとえ難易度の高いものでも、決して不可能ではありません。

勉強計画は旅行計画と同様に立てる

旅行計画

- いつからいつまで
- どこに　● 誰と
- どんな交通機関で行くか
- 旅行先でどこを訪ね、何をするか
- 予算はどれくらい必要か

勉強計画

- どのような方法で勉強するか（予備校に通う、通信教育）
- どんな参考書を使って
- 合格率や採点基準はどのくらいか
- 受験者はどれくらいの準備期間を設けているか

勉強を続けられるか、挫折するかは計画で決まる！

にもかかわらず、多くの方が苦労し、ときに挫折してしまうのはなぜか。それは十中八九、計画不足にあります。

資格の勉強は、「旅行」に似ています。海外旅行に行くとき、皆さんは計画を立てますよね。いつからいつまで、どこに、誰と、どんな交通機関で行くのか。行った先でどこを訪ね、何をするか。予算はどれくらい必要か。そうしたことを考えずにいきなり海外に飛んでしまう人は、まずいないと思います。

資格も同じです。ノープランで突っ込んでも迷子になるだけです。まずは、その資格がどのような資格なのかを知りましょう。これが、勉強を始める前に欠かせないプロセスです。

問われる知識や技能の内容、合格率や採点基準、受験者はだいたいどれくらいの準備期間を設けて試験に臨むのか。資格関連の本はもちろん、ネットでも情報収集できます。経験者の成功談や失敗談も、ぜひリサーチしましょう。

試験のルールも重要です。選択式、記述式、口頭などの形式と、その配分など。これらの情報に基づいてテキストを選び、勉強のスケジュールを組みましょう。

必要な標準勉強時間の何倍で勉強を進められる？

スケジューリングで最初にすべきは、取りたい資格の「必要勉強期間」を把握することです。どの資格のガイド本にも、合格ラインに達するまでにかかる期間の、だいたいの標準時間が書かれています。それをもとに、1日当たりの勉強量を割り振っていきましょう。

勉強はダイエットと同じで、「毎日コツコツ」が肝心です。「1週間で○キロ痩せる」が現実的ではないのと同じく、試験直前に一気に追いあげるのは無理があります。また、週末だけ食べ物を控えても痩せないのと同様に、休みの日だけを勉強に充てても、やはり効果は出ないでしょう。

ここはやはり、毎日同じペースで淡々と続けるのがベスト。毎日お風呂に入るように、毎日の勉強を習慣として定着させましょう。

勉強の内容は、テキストや問題集を、「複数回」読む・解くのが基本です。よほど簡単な資格でない限り、一周しただけで頭に入ることはありませんから、2~3周するイメージで進めていくと良いでしょう。

勉強を始めてしばらく経つ頃、最初に割り振った勉強量と、自分のペースとの間に、差が出てくる可能性があります。

一般的・平均的な所要時間より速く進む人もいれば、遅く進む人もいるからです。

もし「相場の時間の7割くらいで進む」場合なら、トータルの準備期間も7掛けと考えてOK。逆に「1・2倍かかっている」ならば、期間も1・2倍になります。それに合わせて、予定していた受験日より前倒しする、延期する、といった調整も適宜行ないましょう。

なお、「相場と比べ物にならないほど遅い」という方は、おそらくテキストの読み方が間違っています。「読んでも理解できないから、次に行けない」と思ってはいないでしょうか。そんなことを考える必要はありません。

まだその資格を持っていないのだから、すんなり理解できないのは当たり前。わからなくてもどんどん読み進め、それを2周、3周と繰り返せば自然と頭に入っていきます。

自分オリジナルの必要勉強時間の予測方法

①

「取りたい資格取得に必要な標準時間」を本やネットで調べる

②

標準必要時間から、「1日当たりに必要な勉強量」をだいたい把握する

③

1日当たりに必要な勉強量

自分の1日当たりの勉強ペース

勉強のペースができてきたら、必要な1日当たりの勉強量と自分のペースにどれくらい差があるかを確認

④

標準時間 × 0.7
標準時間 × 1.2

標準時間の7割の時間で早く進んでいるなら、7掛け。1.2倍の時間が必要となっているなら、標準時間に1.2倍する

さらに言えば、テキストを最初の章から順に読む必要もありません。あとのほうに書いてあることが頭に入りやすいなら、そこから読んでも問題ありません。後ろの情報が入ったことで、前の情報が理解できることも多々あります。**パズルのピースがある程度埋まると、残りのピースの形が自然とわかるのと同じです。**最後にパズルが完成しさえすればいいのですから、はめるピースの順番は、自由に決めていいのです。

すきま時間を極限に活かす「5ミリ薄切り勉強法」

勉強する時間帯は、朝がベストです。1時間早く起きて机に向かい、あとはすきま時間をとことん使う、という方法がお勧めです。

働いている方の多くは夜を勉強時間にしがちですが、これはかなり非効率だと思います。なぜなら、夜の脳は疲れているからです。日中の仕事で人と会ったり、アイデアを練ったり、トラブル処理をしたりと、膨大な情報が脳を飛び交ったあとの「燃えカス」状態。燃えカスに自分のキャリアの将来を預けるのは、なかなかの暴挙ではないでしょうか。

朝の脳は、その反対です。睡眠によって細胞は回復し、かつ、まだ何の情報も入っていないさら地の状態です。そこに知識を書き込んでいけば、学習効果も格段に上がります。

朝の勉強にはもう一つメリットがあります。**あとに続く1日の中で、得た知識を反芻(はんすう)できること**です。歩いている間でも、教科書を開かずに頭の中で反芻するだけで記憶を強化できます。

また何となく入ってくる情報――例えばポスターの文言や、ニュースの音声などから、今日学んだ箇所が連想できたりすることも多々あります。

一方、すきま時間については、文字通り「すきあらば」テキストを開きましょう。電車に乗って、座ったあとに開くのでは遅すぎます。ホームに並び、電車を待つ間から、すきま時間は始まっています。

「そんなタイミングではテキストを出しにくい」という方、その問題はちょっとした工夫で解決します。それが**参考書「5ミリ薄切り勉強法」**です。

私は、テキストをカッターで切って厚さ5ミリ程度にし、それをクルリと丸めて内ポケットに入れていました。これなら出し入れも簡単、ページも探しやすく、軽いので体力も消耗しません。この「分冊」が1日で終わるか、2日かかるか、というふうに、進捗をつかみやすくなるのも利点です。

これで、信号待ちやレジ待ち、エスカレーターに乗っている間など、すべてのすきま時間を勉強に使えます。

こうした**数十秒単位の場面では、スマホなどよりアナログのほうが断然便利**です。スマホは、取り出してから目当ての情報に到達するまでに意外と時間を使うもの。しかも、ひっきりなしに通知が入って気が散るのも難点です。ですから私は、勉強ツールはもっぱらアナログ。スマホは24時間365日サイレントにして、集中力を削がれないようにしています。

単語の丸暗記がいらない「イメージ把握暗記法」

さて、勉強法において多くの方が悩むのが「暗記」の苦しさです。これは、**一言一句覚えようとしないのがコツ**です。

英単語も、細かくスペルを丸暗記しようとせず、単語の「長さ」や「形」といったイメージで覚える感覚で向き合ってみましょう。例えば、intelligenceなら、「長め・iで始まる、真ん中あたりで背が高い」といった感じです。細部はひとまずおいて、エッセンスだけ抽出して覚えることで、無駄に記憶容量を消費せずに済みます。

曖昧な覚え方でも、何度もその情報に触れることで、パズルのように段々と解像度が上がっていくのは先に述べた通りです。その情報になじみが出てきた段階で細部を確認すればOKです。

極端な話、最後まで細部は放っておいても良いこともあります。筆記テストでない限り、正確なスペルを覚えていなくても、その単語に見覚えがあり、かつ意味を知っているならば問題はありません。

資格のコンセプトを知るのが最大の秘訣

私の場合、暗記はほとんどしません。最低限の暗記はしますが、やはり決め手は「理解」にあると思うからです。

社労士も暗記が重要な資格だと見なされがちですが、実際のところ、大事なのはエッセンスを汲み取れているかどうかです。「労働基準法」「労働安全衛生法」など10に分かれた科目それぞれ、**法律を丸覚えするというより、その法律のコンセプトを理解するこ**

すきま時間を活用できる参考書「5ミリ薄切り勉強法」

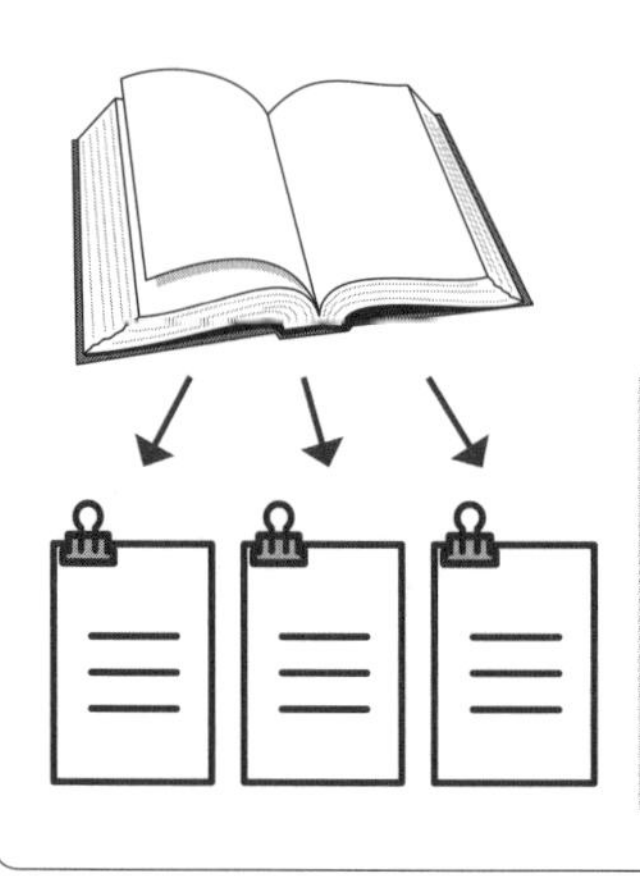

使用している参考書をカッター等で厚さ5ミリ以下に裁断し、ポケットに入れて持ち歩く

「通勤電車で座れなくても、信号待ちの合間にも知識の習得ができる。こうした数十秒単位の場面では、スマホなどよりアナログのほうが断然便利。スマホは、取り出してから目当ての情報に到達するまでに意外と時間を使うものです」　（林氏）

とが必要なのです。

コンセプトとは、言い換えれば「労働基準法ちゃん」「労働安全衛生法くん」のような、一貫性のある人格を持つキャラクター。人となり（個々の科目の持つ特徴）を知っていれば、設問を見たときに「この問題はこの点が問われている」と、すぐに察知できます。それは条文の丸暗記より効率的で、かつ深い知識であると言えるでしょう。

資格そのものにも、コンセプトがあります。それは「**どんな人をつくりたいか**」ということ。こういう人を養成する試験なのに、この選択肢が答えになるわけがないとわかる問題は一定数あります。

「こういう人材を世に増やしたい」という、

作り手の思いを把握することが、究極の資格試験攻略法と言えるでしょう。

同分野の資格でも主催団体によってその人物像は少しずつ違い、求められる解答も変わってきます。ですから資格を目指すときは、HPに記された資格概要をしっかり読みましょう。作り手の意図を考え、「受かる答え」を記す、といった技が使えたら、もう達人の域です。

ビジネスパーソンは世のニーズを読むのが仕事ですから、こうしたアプローチはきっと得意なはずです。ぜひ新しい知識を装備して、さらなる成長へと役立ててください。

PROFILE

はやし・ゆうじ●1980年、東京都生まれ。大学卒業後、㈱大塚商会に入社。システムエンジニアとして働きつつ、社労士をはじめ数々の資格を取得。2020年に独立し、はやし総合支援事務所代表として、社労士・行政書士・DX支援等、総合的な企業サポートを行なう。キャリアアップに適した資格の取り方・活かし方を助言する「資格ソムリエ」としても活躍中。著書に『社労士事務所のDXマニュアル』(中央経済社)がある。

「時間ができたらやる勉強」をリスト化する！

――仕事・育児をしながら東大に合格した超効率的勉強法

松下佳樹
サラリーマン東大生

会社員として仕事をする中で、必要な知識を体系的に学ぶべく、東大受験を目指した松下佳樹氏。仕事、家事、育児などで時間を取られる中、限られた時間を有効に使って合格を果たした「社会人ならではの勉強法」とは⁉

「ふと生まれた時間」を逃さずに有効活用する

私は、2020年春に東京大学文科三類に合格し、サラリーマン東大生になりました。直接のきっかけは、高校数学を学び直したいと思ったことです。ゲームプランナーという仕事をしていると、意外にも三角関数や対数関数を有効に活用できることに気づいたのです。

仕事で使おうとするたび、学び直しをするのですが、基礎知識の不足を痛感し、体系的に学びたいと考えていました。日本史や地理の知識も仕事内容によっては、企画のアイデアなどに活かせます。その頃、会社が副業を認可したことも影響しました。本を書いたり、家庭教師をしたりと、ゲームプランナー以外の仕事をするための実績を持っておこうと考えたのです。

働きながらの受験勉強には、当然ながら時間的な制約があります。おまけに当時4歳の長女がおり、次女の誕生も控えていました。それでも「とりあえずやってみよう」と思えたのは、**案外ムダに過ごしている時間や、ちょっとした「すきま時間」があること**

がわかっていたからです。

例えば、入れていた予定が飛んだり、会議の開始が少し遅れたり、家でカレーを煮込んでいて、火から離れられなかったり(笑)。

そういうとき、以前の私なら「暇だな」と思いながらSNSを眺めていました。しかし、受験期間中はその時間を活用。**あらかじめ「時間ができたらやることリスト」を作成しておき、そこからピックアップした**のです。

例えば「YouTubeで日本史の解説動画を観る」などとストックを作っておくと、「何を勉強しようかな」と悩む時間も削減できます。

実際に回答を書かずに頭の中で組み立ててみる

東大に合格するまでトータルで3年かかりましたが、正味の勉強時間は1000時間弱でした。単純計算で1日当たり1時間程度です。帰宅してから机に向かう時間は少なく、やはり勉強は「すきま時間」が中心。この限られた時間を有効に使うために様々な工夫をしました。

例えば、**紙に回答を書き出すなど、「文字にするアウトプット」を少なくしました**。

過去問を解くときも回答方針を頭の中でまとめるだけで終わりにします。特に数学などは、まともに回答しようと思うと多くの文章を書くことが必要で、それだけで時間のロスに。でもこのやり方なら通勤時間でも問題に取り組めます。

暗記が必要な科目では、こうはいかないかもしれません。しかし幸い、東大の試験は暗記力よりもどれだけ「理解」していたかを問われる内容です。

私はもともと苦手だったこともあり、最初から暗記系の勉強はほどほどの点が取れればよいと割り切りました。

それでも暗記しないといけないものは、暗記する量そのものを減らす。特に地理・歴史や理科では紛らわしい用語があります。

「北面の武士」と「西面の武士」、「ムラート」と「メスチソ」など。この場合は思い切って、紛らわしい片方を捨てました。

両方をしっかり覚えようとすると、逆にこんがらがってしまうのですが、一方のみを覚えればよいと考えると、意外と頭に残りやすいのです。

「周囲の目」を活用してモチベーションを維持

元来、私は「三日坊主」タイプです。それでも、3年間も勉強に向かう**モチベーションを維持できた一番の要因は「周りの目」を巻き込んだから**。

まず上司や同僚に「東大受験に挑戦してるんですよね」と話して、途中で止めると少し格好悪い雰囲気を作りました。また、苦手な英語は英会話に通い、先生と対面で話すことでモチベーションを保ちました。

少し先に楽しみを用意するのも、モチベーション維持のコツです。受験という遠い先のゴールに向けて走り続けるのは苦しい。でも「2週間後には好きな競馬を楽しめるぞ」となったら頑張れる。目の前ににんじんがぶら下がっていると、社会人でも走れるわけですね。

とはいえ受験は長期戦です。仕事のスケジュールが詰まり、思うように勉強が捗（はかど）らない時期もあります。そういうときは「会社を優先する」ことにしていたので、最初から忙しい時期がわかる場合は、数カ月単位で勉強を休むこともありました。

つらいのは「勉強するつもりだったのにできなかった」を繰り返すこと。ときには休むことも必要です。それでも勉強から離れすぎると、ペースを戻しづらくなることも。私の経験上、連続で休む限度は7日間。1週間以内であれば、「そろそろやっておくか……」と、何とか勉強に戻ることができます。

勉強スケジュールには2～3割の余裕を確保

資格試験などを受けるための勉強計画を立てる際は、まず勉強方針を固めましょう。教科書や参考書をひと通り眺めて、過去問を解き、合格点を調べてみると、「暗記中心だな」「理解重視だな」と傾向がわかります。また、合格点との差を見て、どの科目をどんな配分で勉強したらいいか、当たりをつけます。

例えば「好きだけど低配点」な科目はこれからの伸びが期待できる一方、「嫌いだけど高配点」な科目は得点を積み上げるのは難しいはず。

そのうえで、仮に受験まで1年間の余裕があるなら、半年ごとに勉強スケジュールを組んでみましょう。次に、半年を3カ月ごとに割って、スケジュールを細分化。さらに

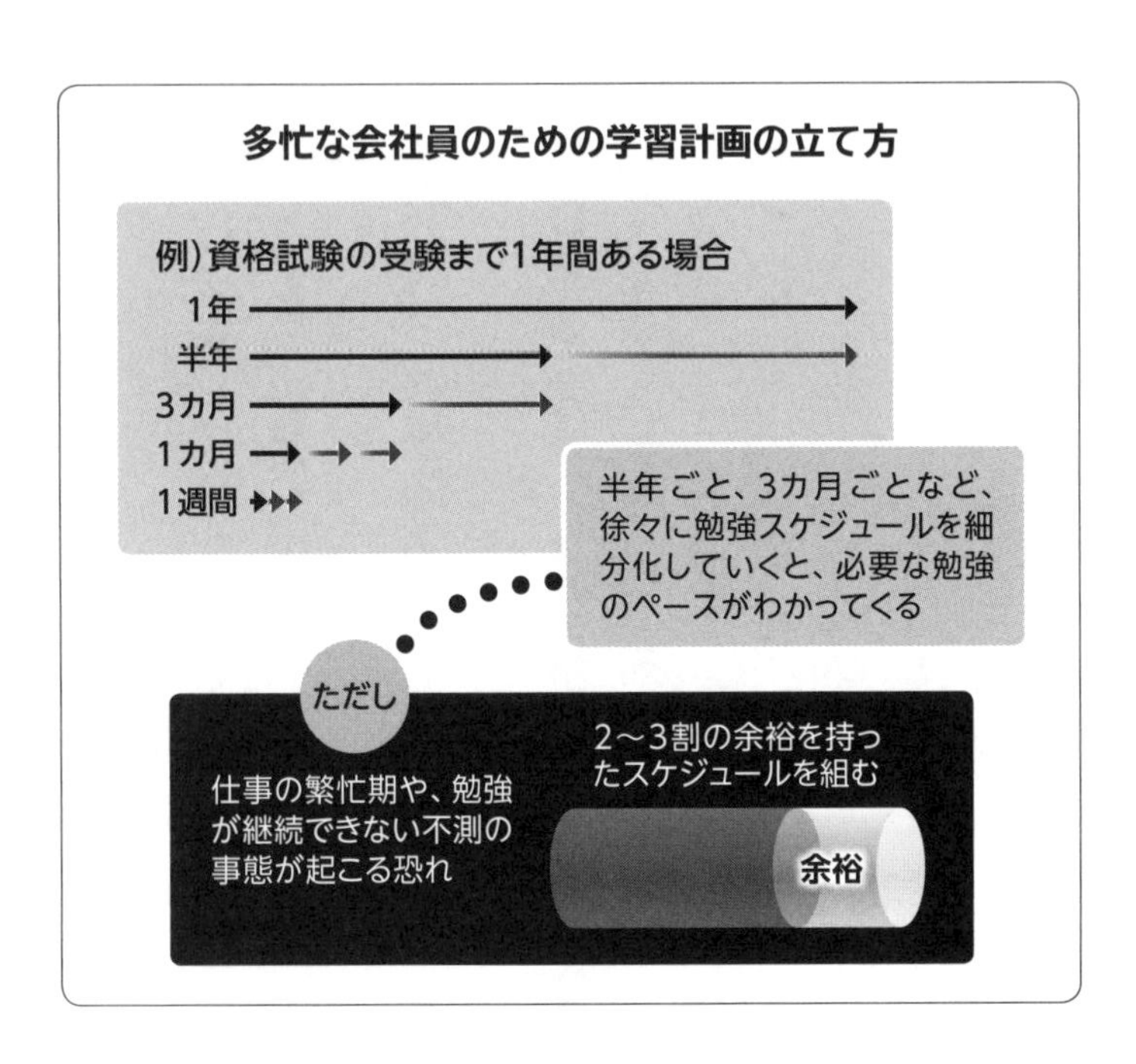

1カ月ごと、1週間ごとに割ってみると必要な勉強のペースが見えてきます。

仕事が突然忙しくなることもあると考えると、**「1年のうち2〜3割は勉強しない時期があっても合格できそう」という余裕もほしい**ところです。その余裕が持てない勉強に1年もかけるのはリスキーなので、長期的なプランに変更してもよいかもしれません。

勉強において社会人が学生より有利な点があるとしたら、これまでの勉強経験、社会人経験から、自分の実力や性格的な弱みがわかっていること。続けることに弱みがあれば、周囲を巻き込む。数字を使った科目が苦手なら、すきま時間にやることにして、頭の中で何度も問題を解くなど、自分なりの工夫で、勉強法を確立してみてください。

PROFILE

まつした・よしき●1983年、愛媛県松山市生まれ。愛媛県立松山東高校、日本電子専門学校ゲーム制作科、早稲田大学を経て、㈱セガにゲームプランナーとして入社。2020年春、36歳で東京大学文科三類に合格し、サラリーマン東大生となる。著書に『30代サラリーマンが1日1時間で東大に合格した「超」効率勉強法』(彩図社)がある。

忙しいミドル層だからこそ、最短ルートで合格したい！

――資格試験の出題分野のみ最速で学ぶ「割り切り勉強法」

鬼頭政人
資格スクエア創業者、弁護士

まじめで、勉強のやる気が高い人ほど、参考書を1ページ目からしっかり読み込み、インプット偏重になりやすい。しかし、「資格スクエア」創業者である鬼頭政人氏は、最初のインプットは「雑」でよく、すぐにアウトプットに移るべきだと明言する。忙しい社会人が、最少の労力で、最短の合格を勝ち取る勉強法を教えてもらった。

何度受験しても落ちる人がやってしまう勉強法とは⁉

日本に学び直しの文化が根づいていないのは、多くの人が、勉強は「学生時代にするもの」という固定観念に縛られているからではないでしょうか。学生時代に成果が出なかったというだけで、自分は「勉強が苦手」「才能がない」「記憶力が悪い」などと諦めてしまっている人もいます。

しかし、はっきり言いましょう。勉強が苦手でも、才能がなくても、記憶力が悪くても、正しく勉強すれば資格試験は合格できます。できない人は、勉強の仕方を知らないだけなのです。

社会人は学生と違い、勉強に充てる時間が限られます。この時間の制約こそが、学生時代との一番の違いであり、資格試験における最大のハードル。**量より質を求め、勉強の効率を高めることが、一発合格の鍵**になります。

ビジネスパーソン、とりわけミドル層はただでさえ忙しいので、闇雲にあれこれ手をつけては、受かるものも受かりません。

「この資格を取ろう」と決めて意気込んでいる人ほど注意してください。参考書を何冊も買い込み、いきなり1ページ目から読み進めたりしていませんか？

実は、何度受験しても落ちる人に多いのがこの過ち。参考書を1ページ目からしっかり読み込むのは、効率を無視した、ムダだらけの勉強法。ルートを調べずに山に登るのと同じで、非常に危険な行為です。

試験勉強の効率を高めるためには、始める前に必ず合格への最短ルートを把握しておきましょう。お勧めしたいのは、**資格試験を管轄する省庁や団体が、HPなどに掲載している過去の試験問題をよく「読む」こと**。「解く」必要はありません。

過去問を数年分読み込めば、どの分野からよく問われるのか、出題傾向が見えてくるはずです。

問題集も頻出分野の問題ほど、より多く収録されているので、分野ごとのページの「厚さ」を見比べると、出題頻度の高低は一目瞭然でしょう。

要するに、合格まで効率良く最短ルートで到達したければ、こうしてあらかじめ出題傾向をつかみ、正しくヤマを張ればいい。参考書や教科書を最初のページから熟読し、丸ごと頭に入れる必要などありません。

そもそも資格試験では、合格ラインは正答率6〜7割が基本です。むしろ**「これしかやらない！」と決めて、勉強の仕方を割り切ること**――その覚悟が肝心だと思います。

インプット偏重の勉強をアウトプット重視に変えよう

勉強には、参考書や教科書を読んで知識を蓄えるインプットと、その知識を確かめるために問題集などを解くアウトプットの2種類があります。多くの人は、勉強というと前者のイメージが強く、実際、インプット偏重型の勉強になりがちです。

でも、本当に大切なのは逆。アウトプットこそが重要で、**参考書を完璧に暗記するより、問題集を解くことを中心にしなければ、勉強の成果は上がりません**。

その理由は、勉強とは「間違えること」だから。インプットばかりしても、間違える経験はできません。アウトプットして、間違えた箇所を正しく覚え直す。その繰り返しが、勉強の本質だと言っていいでしょう。

インプット対アウトプットの比率で言うと、受験生の多くは3：1ぐらいになっていますが。しかし、一発合格を狙うなら、逆に1：3になるぐらい数多く問題を解くべきです。そのためには、インプットを早めに済ませ、アウトプットができる知識を蓄えることが必要です。

参考書の理解度2~3割、問題正答率1~2割でOK

遅くとも、試験までの期間の最初の4分の1で、参考書はひと通り終わらせましょう。難しいと思うかもしれませんが、私はいつも受験生にこう言います。

「最初のインプットは〝雑〟でOK。理解度2~3割でも十分だよ」と。

そうして参考書を終えたら、すぐにアウトプット=問題集に移ります。参考書を一度読んだだけで理解度が2~3割なら、解けるのはよくて1~2割でしょう。それでいいのです。前述したように、間違えることが勉強です。**合格する人は早い段階で多く間違っています**。

問題集を解いて間違えたら、参考書に戻って対応する箇所を熟読し、そこに間違えた答えや原因、注意点なども併せて書き込みましょう。

ノートなど別に作る必要はありません。書き込むほど理解度が深まり、書き込みの多い箇所を見れば、出題傾向や、自分の弱点も一目瞭然。「問題集→参考書」を数回繰り返す頃には、自分だけの特製の参考書ができているはずです。

ミドルの勉強に有利な「経験に紐づけた記憶法」

加齢で記憶力低下を実感するミドルこそ、この勉強法を使わない手はありません。「アウトプット重視」で理解が深まれば深まるほど、知識の量が増え、知識と知識がつながっていきます。このつながりによって覚えやすく、思い出しやすくなるわけです。

学生時代なら、そこまで深く理解しなくても、力業（ちからわざ）で丸暗記できたかもしれません。でも、今は違います。

あなたが記憶力の衰えを補いたいならもう一つ、若い人にはない、「社会人ならではのアドバンテージ」も活かしましょう。それは、**覚えたい知識を豊かな社会経験に紐づけて覚えられるという利点**です。

例えば、FPの資格試験に合格するには、健康保険や各種年金などの知識が必須ですが、社会人なら実生活でひと通り経験しているので、その経験を活かせば細かい知識も

資格試験に

一発合格する人

1. 課目④
2. 課目①
3. 課目③
4. 課目②

本格的な勉強に入る前に、頻出分野を見極め、勉強のメリハリを考える

最初のインプットの理解は2〜3割で良いと割り切り、アウトプットを重視

不合格になる人

1. 課目①
2. 課目②
3. 課目③
4. 課目④

勉強範囲にメリハリをつけず、参考書を1ページ目から読み始める

アウトプットより、知識を入れ込むインプットを重視する

効率良く覚えられます。

知識と知識が、そして知識と経験がつながることで、視界がパッと開ける。そんな瞬間が、これまで私にも多々ありました。勉強はいつ始めても遅くありません。

ぜひ、ミドルの強みを活かして、学び直しを実りのあるものにしてください。

PROFILE

きとう・まさと●1981年生まれ。開成中学、開成高校を経て、現役で東京大学文科Ⅰ類（法学部）に合格。卒業後は慶應義塾大学法科大学院に進学し、在学中に司法試験に一発合格。司法修習を経て、都内法律事務所に弁護士として勤務。ベンチャー企業を支援したい思いから、投資ファンドに勤務したあと、2013年に資格試験対策をオンラインで提供する「資格スクエア」を創業。近著に『資格試験に一発合格する人は、「これ」しかやらない』（PHP研究所）がある。

「学び」の成功者&プロフェッショナルに聞く

限られた時間を逆手に取って集中力アップに利用する！

——効率を最大化する夜インプット・朝アウトプット法

山本憲明
税理士

仕事を終えて、深夜まで勉強をして身体は疲れたまま。こうした身を削った勉強で失敗した方もいるのではないだろうか。気象予報士、中小企業診断士、税理士の３つの資格に働きながら合格した山本憲明氏は、夜以上に朝の勉強が資格試験の合否を分けるという。自身の勉強体験から編み出した勉強法をうかがった。

「合格後の目標」が資格取得を最も活かす

私は会社員として働いていた頃、気象予報士、中小企業診断士、税理士の資格を取得しました。それを可能にしたのは、「独立」という大きな目標です。

私が就職したのは1994年。就職氷河期とあって、非常に苦労をしました。やっと内定をもらえた会社へ、自分に合った仕事かどうか自信がないまま入社。働くうちに、「会社を辞めて自分の腕一本で食べていける仕事をしたい」と考えるようになりました。それが、資格取得を目指したきっかけです。

最初に挑戦したのは気象予報士試験です。猛勉強の末に2度目で合格したものの、当時はまだ発足間もない資格とあって、独立までの道筋が描きづらいことがわかりました。

そこで改めて、安定性が高く、働きながら受験する人も多いという税理士試験に挑戦。

税理士資格は、5つの科目を全部パスすることで取得できる仕組みです。1年目に2科目合格、2年目は2科目とも不合格……と苦労の時期もありましたが、4年目に全科目合格。現在は独立して、税理士事務所を運営しています。

資格は合格をゴールにするとなかなか活かしづらいもの。**しかし合格の先で何をするか、という目的があり、その道筋が描けているなら、資格は確実にその道を開いてくれます。**

勉強を諦める人が続出する「繁忙期」の乗り越え方

さて、私が「働きながら」資格を取った方法を、具体的にお話ししましょう。基本の仕組みは、**「夜にインプット、朝にアウトプット」**です。

会社が終わったあと、資格取得のための専門学校に通って勉強。学校のない日は、近くの公民館など静かな場所で勉強しました。この時間は、知識を入れることに専念します。そして翌朝に1時間、実際の問題を解き、前日学んだことが習得できているか否かを確認。**夜にインプットしてから寝ると、睡眠中に記憶が整理されて定着しやすくなる**と言われており、実践しました。

朝の勉強も、原則的に外で行ないました。家での勉強は、子どもが小さかったこともあり少々困難だったのです。妻に負担をかける分、日曜日だけは勉強を休み、家のことに専念しました。

会社では「定時終了」を厳守しました。残業せず仕事を終わらせるため、効率化を徹底。エクセル作業の際は、随所に日頃学んだマクロを設定し、書類作成の時間を大幅に短縮しました。

また、部署の中で慣例的に作られてきた「無駄な資料」を止めようと提案。その結果、チームの時短も実現できました。

一方、4月と10月に来る「繁忙期」だけは残業しないわけにはいかず、夜の勉強時間が削られました。繁忙期は1カ月続いたので、その分は翌月に挽回。4月の分は、翌5月の連休で取り戻していました。

仕事と並行で資格を目指す人は、繁忙期をきっかけに諦めモードに入り、挫折することが多いので、ここは正念場。**私は繁忙期を、「計画を立て直す」ことで乗り切りました。**そのための時間をしっかり取って、挽回可能なスケジュールを考えたのです。これは現状の整理であると同時に、気持ちを切り替えてエンジンをかけ直す「儀式」でもありました。

「リミット」の設定が勉強の効率を最大化する

ただ、どんなときも必ずキープしていたのが「朝の勉強」です。**朝の勉強は、夜にはないメリットがあります。それは、会社の始業時間という「期限」が決まっていること**です。1時間後には切り上げなくてはいけない、という意識があるため、自然と集中力が上がります。

他にも、リミットを設定して集中力を高める方法は多く取りました。夜の勉強や、丸一日勉強できる日に行なっていたのは「実際の試験の制限時間に合わせる」ことです。暗記を1時間半、問題集を1時間半、と区切り、その間は休まず集中。この練習をしておくと、本番でも最後まで集中できます。いわば、勉強が「予行演習」になるのです。

ちなみに、勉強内容は「過去問」が中心。5年分の問題を何周もしながら、現時点の実力と合格ラインの差を把握し、その差を縮めていくやり方です。差を縮める方法として最も大切にしていたのは、**問題の解答・解説を熟読すること。趣旨を100%理解できるようになるまで読み込み、知識を強化**しました。

試験合格率の低さに受験を躊躇しなくてもいい理由

こういった資格の勉強で編み出した勉強法は、50代になった今も、仕事のインプット、アウトプットをする際に活きています。そして今も、機会があれば新しい資格や技能を身につけてみたいと思っています。

ミドル世代で資格取得を意識する方が、「年齢のせいで記憶力や理解力が落ちたから……」と二の足を踏むことがしばしばあります。しかしおそらく、それは気のせいです。これまでの人生経験や、今の仕事に伴う情報量が若い人よりもはるかに多いので、インプットに割ける余地が少なくなっているだけではないでしょうか。

ですから、コツは「忘れる」ことです。勉強するときは仕事を忘れて集中すること。「記憶力が落ちてるかも」「もう年かも」などと余計な思考をめぐらせないこと。これがきっと、有効な対策になります。

そしてもう一つお勧めしたいのが、**「合格率＝20％」などの数字に惑わされないこと**です。なぜならその低い数字は、「勉強は全然足りないけれど、まあ記念受験で」という感覚

効率良く勉強をするには
常に「ゴール」を意識する

例）1年後の試験日、4年後に5科目すべて合格など

期限を決めて、集中して取り組む

A　C　B

勉強範囲のゴール

最初に過去問を読んでみて、どの範囲が問題に出やすいのか、あまり出ない範囲はどこかなどを把握しておけば無駄は少ない

勉強時間のゴール

朝7時から出社までの1時間を勉強に充てるなど、必ず勉強に充てる時間を決めておけば集中力がアップ

で来た受験生も「込み」だからです。

全力で勉強してきた受験生だけで考えれば、合格率はもっと上がります。難関資格と呼ばれる資格でも、おそらく実質50％くらいになるでしょう。

やる前から諦めないこと、挑戦中に苦しくても諦めないこと。全力を尽くしさえすれば、どのような試験であれ、必ずいつか結果は出ます。埋もれた可能性を活かす挑戦を、ぜひ始めていただきたいと思います。

PROFILE

やまもと・のりあき●1970年生まれ。早稲田大学政治経済学部卒業後、94年に横河電機㈱に入社。勤務と並行して、気象予報士、中小企業診断士の資格に挑戦、いずれも1年で合格。社会人6年目より税理士試験に挑戦、わずか4年で全科目合格。その後独立し、山本憲明税理士事務所代表となる。現在は税理士業務の他、執筆業にも携わる。著書に『朝1時間勉強法』(KADOKAWA)など多数。

「学び」の成功者&プロフェッショナルに聞く

40代・50代から1年で英語を習得できる5ステップ

――45歳から英語をマスターした人気ユーチューバーが指南する英語独学法

Ryu
サンキャク㈱代表取締役

転職のために45歳から英語の勉強を始めたRyu氏。ゼロからのスタートながら、なんと勉強を始めて1年後には、ビジネスができるだけの英語力を身につけ、TOEICの点数も170点以上アップ。Ryu氏が気づいた、ミドルが短期間で英語を習得するコツとは⁉

40代・50代からでも英語力は確実に身につく

私が英語の猛勉強を始めたのは45歳のとき。その前年ぐらいから、「転職したい」「外資系企業で働いてみたい」と思い、実際に転職活動を行なってみましたが、箸にも棒にもかかりませんでした。そこで一念発起し、1年間、とにかく英語力を高める勉強をして、ビジネスでも通用するレベルの英会話力を身につけようと考えました。

ゼロからのスタートでしたが、現在は、オンライン英語コーチング「Ryu学」やユーチューブの「Ryu Tube」チャンネルを運営。海外企業のウェブサイトや国内企業の海外向け動画の制作、ユーチューブのプロデュースなども行なっています。

私の経験からまず言いたいのは、**「英語は、年を取ったら身につかない」というのは誤解**だということ。私自身、45歳から始めてビジネスができるだけの英語力、英会話力を身につけられました。勉強仲間の中には、50代から始めて英会話力を身につけた人も少なくありません。

ある研究によれば、20歳を超えた大人の英語習熟速度は、子どもとほとんど差がなく、しかも、学習開始から1年間でネイティブの8割程度の力がつけられるという驚きの研究結果もあります。

だからといって、漫然と勉強していても、なかなか英語力は向上しないでしょう。なぜなら、英語の勉強は、やっている途中で何度も挫折しそうになるから。つまり、高いモチベーションを維持するのが難しいのです。

私の場合は、外資系企業で働きたいと考えていたので、その**エントリーや面接を受けるのに必要なTOEIC800点の獲得を目標**にしました。この目標があったから、1年間、勉強を続けられたのだと思います。

目標を明確にすることは、勉強を継続するために欠かせない最初の要素です。

英語の勉強を開始したとき、やらかした数々のしくじり

ただ目的意識は高かったものの、私は実際に勉強する過程で、様々な失敗をしました。

まず、学生時代に英文法の勉強が嫌いだったことで、最初は避けていたのです。しかし、英文法の基礎力がなければ、英語の文章が作れません。これは英会話以前の問題です。

そのことに気づき、英文法を基礎から勉強し直さなければと考えて、テキストを買ったのですが、これが私には合いませんでした。文字の大きさや色が見づらく感じられて、勉強に集中できなかったのです。

このテキスト以外にも、ネットの情報を鵜呑みにして、テキストを次々に買ってはムダにするという過ちも犯しました。

こうした経験から言えば、テキストの善し悪しは、人によって違います。Aさんにとってベストなテキストが、Bさんには合わないということがあります。

ネットでの情報収集は大切ですが、書店で現物を見て、自分のレベルに合ったものの中から、テンションが上がるものを選ぶことをお勧めします。

もちろん、最初から自分に適したテキストがわかるわけではないので、何度かは失敗することでしょう。それも必要なことだと割り切るのも大切です。

さらに言えば、**テキストは英単語1冊、英文法1冊など、テーマごとに1冊あれば十分**です。2冊目、3冊目と勉強するよりも、その1冊を繰り返し徹底的に勉強するほうが効率的かつ英語力も確実に向上します。

リスニング学習のコツは「単語と音のインプット」

こうした失敗も踏まえて、私が考える「**1年間で英語力を身につける大切なポイント**」を5つ、紹介しましょう。

一つ目は、「単語と音のインプット」。日常会話には、3000語程度が必要と言われていますので、単語力は欠かせません。また、文字としてだけでなく、音でも理解できるようになることが重要になります。

私は、『DUO3・0』という単語帳を使用しました。先に述べた通り、これから紹介するテキストなどは、私が実際に勉強したテキストであり、主に勉強するポイントを参考にしていただければと思います。もしあなたに適した参考書があれば、他のものでも構いません。

『DUO3・0』の良い点は、単語を文章の中で覚えられるところです。しかも、ピックアップされている単語1600語と熟語1000語は重複していません。

そして、付属CDで英文の音声を聞くことができるので、これを繰り返し聞けば英語の音に耳を慣らすことができます。英語の発音に慣れてきたら、聞こえてきた通りにまねをして発音する「シャドーイング」を行ないます。

初日に1～3セクションを行なったら、翌日は1～6セクション、翌々日は1～9セクションというように、3セクションずつ増やしていきます。そうすると、ペースとし

英語を話せるようになったRyu氏が1年間で行なった勉強①

単語と音のインプット

単語帳付属のCDで発音を繰り返し聞く。慣れてきたら、聞こえた通りにマネする「シャドーイング」を始める

英文法の学習

中学レベルの英文法を1冊のテキストで2回以上繰り返し学習する。英会話でわからないことが出てきたら、この中学レベルの英文法に戻って復習する

発音の練習

付属CDで正しい文章の発音を聞きつつ、自分でも発音し、どこが違うのかを明確にする。聞く量を多くして、頭の中に音のデータベースを増やしておく

ては、15日間で1冊終えることができます。16日目からは反対に、後ろから3セクション、翌日6セクションというように行ないます。

私は、TOEIC対策として、試験日の2カ月前から毎日1時間以上、移動のときなどにこの音のインプットを行ないました。最初の受験では615点だったのですが、この得点のほとんどがリスニング問題。DUOのリスニング学習が得点につながったと考えています。

当時は、TOEIC対策として行なったので、それが英会話力につながるとは考えていませんでしたが、今振り返ると、このときの**大量の音のインプットが英会話の基礎力になった**ことがわかります。

学び直すべき英文法は「中学レベル」で十分足りる

二つ目は、「基礎英文法やり直し」。TOEICを受験して、自分には英語の基礎力が明らかに不足していることを自覚。**得点を伸ばすためには、英文法の基礎力の向上が必要不可欠**と考えるに至り、中学校レベルから学び直すことにしました。

使ったテキストは、『Mr.Evine の中学英文法を修了するドリル』。基本の5文型から始まり、疑問文や否定文、不定詞や動名詞なども丁寧に解説されているので、英文法に苦手意識がある人に適していると思います。

勉強法のポイントは、最低でも2回以上やること。1回で基礎を完全に覚えることは不可能です。私は、1カ月間に3周勉強しました。TOEIC対策で勉強するなら、並び替え問題、間違い探し、言い換え問題などを意識して学習すると効果的です。基本の英文法を学ぶこの参考書は、英語学習が進んだ段階で、また見返す日が必ず来ます。そのことを頭の片隅に置いて学習を進めてください。

ネイティブの発音が聞き取れない致命的な原因

三つ目は、「発音の練習」。『オドロキモモノキ英語発音』という参考書で、付属音源の音声のマネを繰り返し練習しました。**発音の練習は、「音のデータベース」を脳に作る作業**だと私は考えています。

ネイティブが話す英語が聞き取れないのは、自分が知っている英語の発音と、ネイティブが話す英語の発音に違いがあるから。頭の中で音が一致しないから聞き取れないのです。

ネイティブに近い発音ができるようになれば、その分だけ頭の中に音のデータベースが作られます。そのデータベースと相手の発音が一致すれば、聞き取れるようになります。

重視するのは、一つひとつの単語の音。自分が勘違いしていた単語の音です。**発音練習を何度も繰り返せば、正しい発音と自分の発音を何度も聞くことになり、違いがわかるようになります**。それだけでなく、聞く量が増えれば、その分だけデータベースも増えます。これがリスニング力の向上につながります。

ちなみに、このテキストの後半は、文章が長くなり、私には難しかったので、ほとんど使用しませんでした。

TOEIC対策としては、試験前2カ月間、公式問題集を使ってシャドーイングを行ない、発音練習を繰り返し行ないました。特に、間違えた問題の文章は、何度もシャドーイングを繰り返しました。

英会話で使うフレーズを「瞬間英作文」にしてみよう

四つ目は、「瞬間英作文」。使ったテキストは、『どんどん話すための瞬間英作文トレーニング』です。英作文とは、自分の言いたいことを表現する英文を作ること。それが文法上合っているか、間違っているのはどこか、正しい表現はどういうものかなどを学びます。

注意してほしいのは、英文を丸暗記してしまわないこと。それだと応用が利きません。**日本語の文を読んだらテキストから目を離し、頭の中で英作文するイメージ**。英会話のための英作文なので、時間をかけずにテンポ良く行なうことも大切です。

「a」や「the」が抜ける、複数形になっていないなど、細かい間違いを数多くすることになりますが、こうした間違いがあっても英会話は成立します。ネイティブでも間違っていることは多々あります。なので、あまり神経質にならずに先に進むことを優先しましょう。

こうして勉強していると、何度やってもうまく作文できない英文が出てきます。原因はその文で使う英文法の理解が浅いため。そんなときは、英文法のテキストの該当箇所を学び直します。すると何度も間違ったからこそ、その英文法の理解が深まるということが起きます。

私は、この瞬間英作文の勉強に3カ月ほど使いました。意識したのは、**言い換えて実際の英会話で使ってみる**こと。あるいは、英会話でうまく話せなかった内容を瞬間英作文のどの英文を言い換えれば話せたのかを考えました。

「言語交換アプリ」は英会話力向上の強い味方

最後の五つ目が、「英会話」。これまでの四つの勉強の集大成です。英語の勉強を始める際に、いきなりこの英会話に取り組む人がいます。しかし、英語に限りませんが、インプットなくしてアウトプットすることはできません。まずはインプット量を増やすことが先決。**インプット量がある程度溜まってから、アウトプットである英会話に挑戦しましょう**。

英会話もまた、量を増やすことが大切なことは言うまでもありません。そのために活用したのが、「**言語交換アプリ**」です。いくつかのアプリを通じて、様々な国の人と友達になり、平日は1時間30分以上、土日は3時間以上を目標に英会話を行ないました。

また、「**オンライン英会話**」を活用するのもお勧めです。ただし、注意すべき点があります。

英語を話せるようになったRyu氏が1年間で行なった勉強②

瞬間英作文

テキストの日本語を読んで、頭の中で英作文を行なう。英会話のためであることを意識して、覚えた表現を自分の事柄に言い換えて実際に使ってみるのがお勧め

英会話

「言語交換アプリ」や「オンライン英会話」で事前に準備した質問をしたり、自分の身の回りのことを話すなど、主体的に話す機会を作るように心がける

まず大前提として、ある程度の英会話力が身についてから挑戦すること。リスニング力がなければ、相手の話している内容がわかりませんので、当たり前ですが会話になりません。相手にゆっくり話してもらうことはできますが、それでも、聞き取れるレベルに最低限到達していることが求められます。

また、オンライン英会話の先生は、私たち生徒の評価によって予約数や給料が変動します。

このため、生徒が楽しいと思うテーマを提供してくれ、会話を盛り上げてくれます。初心者にはありがたいのですが、こうした会話を繰り返していても、英会話力の向上にはつながりません。なぜなら、話す内容がいつも同じになりがちだからです。

こうした状況を打破するために大切になるのが、先生への質問です。**事前に質問を準備しておき、こちらの聞きたいことを聞くことで会話をリード**できます。質問は、英語に関するものでも、映画や料理、身の回りの話題でも良いでしょう。

毎回、違うテーマで会話をすることで、英会話力が確実に培われていきます。

以上が、私が実際に行なった英語力をアップさせる5つのポイントです。

私自身、英会話力を身につけてからコロナ禍があったため、海外に行くことができていません。今後は、海外に行き、色々な人たちとリアルに会話を楽しめる日が来ることを夢見ています。

PROFILE
りゅう●1972年生まれ。大学卒業後、総合電機メーカーやIT企業などに勤務。45歳になる年に、英語をまったく話せない状態から、転職を目的に英語学習を独学でスタート。英語学習開始10カ月後にTOEIC790点を獲得、その学習過程を英語学習チャンネル「RyuTube」で発信し、チャンネル登録者が2万人を突破した。転職せず起業を決意し、現在は英語コーチングスクールや、英語を活かした企業向けSNSマーケティング支援・映像制作・WEB制作をする会社を経営している。

「25分勉強＋5分休憩」が脳の記憶力を最も高める

――脳科学的に正しい学習効率を最大化する方法

瀧 靖之
東北大学教授

40代、50代になり、勉強しようにも記憶力や理解力に自信がないという方も多いだろう。しかし、これまで16万人の脳画像を読影、解析してきた瀧靖之氏によれば、勉強などで脳を使えば、認知機能や記憶力の衰えを抑えられる可能性があるという。脳の仕組みを利用した効果抜群の勉強法とは!?

勉強で刺激を与え続ければ、脳は歳を取っても衰えない

40代や50代になると、「記憶力が落ちた」「頭の回転が遅くなった」などと感じることがあるかもしれません。これは決しておかしなことではなく、脳医学的に見ればきわめて自然な変化です。

一般的に人間の脳の体積は10代後半から20代にかけて最も大きくなり、その後はゆっくりと萎縮していきます。それに伴い、私たちが考えたり、判断したり、記憶したりする「高次認知機能」も少しずつ低下します。これは加齢による変化であり、どんなに健康な人でも起こることだと考えられています。

ただし人間の脳が素晴らしいのは、可塑性があること。すなわち外部からの刺激によって変化する力があるのです。**勉強などによって脳を使えば、何歳からでも認知機能を維持・向上できる可能性がある**ことがわかっています。

脳は情報を処理するため、神経細胞同士を神経伝達回路（シナプス）でつないだネットワークを構築しています。基本的に脳の神経細胞が新しく生まれることはなく、その数

は減る一方ですが、「つながり」は増やしたり、強化したりできることが近年の研究で明らかになっています。よって大人の脳も刺激を与え続ければ、情報伝達がしやすくなり、学習効率の向上にもつながることが期待できます。

さらにもう一つ、ミドル世代にとって嬉しい脳の特性をご紹介しましょう。実は脳の中で唯一、年齢を重ねても神経細胞が新しく作られると言われている部位があります。それこそが、記憶を司る部位として知られる「海馬」です。より多くの神経新生（神経細胞の分化）が起これば、海馬の体積が増え、記憶力の向上につながるとされます。

記憶力アップにつながる！
「海馬」を健康に保つ方法

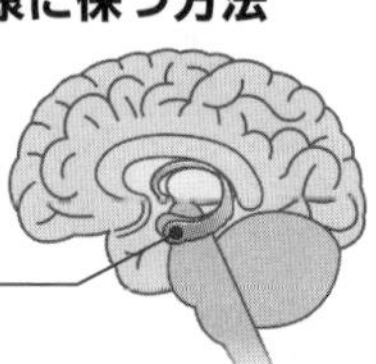

脳の中で唯一、歳を重ねても「海馬」では神経細胞が新しく作られると言われている

❶ 中強度の有酸素運動

早歩きや少し息が弾むくらいの運動が、脳の血流を増やし、海馬の神経新生やネットワークの形成を促すという

❷ 6時間以上の睡眠

睡眠には、記憶を定着させたり、脳内の老廃物を洗い流したりする役割がある。短時間睡眠は将来の認知症リスクも高めるという

よって**大人が学び直しをするなら、まずは海馬を健康に保つことが重要**です。

記憶力アップにつながる生活習慣とマインドセット

では、そのために何をすればいいか。特に大事なのが「運動」と「睡眠」です。多くの人は学び直しに際して「どんな勉強法が効果的か」を考えがちですが、脳医学の見地から言えば、その前段階として生活習慣を整えることのほうがはるかに重要です。

運動については、様々なエビデンスを踏まえて、中強度の有酸素運動をお勧めしています。中強度とは、早歩きや軽いジョギングのように、少し息が弾むくらいの運動です。有酸素運動によって脳の血流が増えると、海馬の神経新生やネットワークの形成を促し、脳の可塑(かそ)性を高めると言われています。

睡眠には、記憶を定着させたり、脳内の老廃物を洗い流したりする役割があります。老廃物が溜まると認知機能に影響するとされ、短時間睡眠は将来の認知症リスクを高めることもわかってきています。現在では、少なくとも6時間以上は寝たほうが良いことがわかっています。

生活習慣の見直しに加えてもらいたいのが、「これを学ぶことで、自分の人生にどのような楽しみやメリットがあるのか」をマインドセットすることです。

脳の海馬の近くには、感情にかかわる扁桃体(へんとうたい)と呼ばれる部位があり、記憶と感情は非常に密接な関係があります。好きなことはすぐに覚えられて、嫌なことはなかなか覚えられないのはそのためです。

ですから**学び直しの際も、「この資格を取れば、昇進や昇給がかなう」「英語が話せるようになれば、やりたかった仕事にチャレンジできる」といったポジティブな未来をイメージすることが実は大事**なのです。

「ポモドーロ法」で脳の学習効率を最大化する

脳の仕組みを踏まえれば、短時間で効率的に学ぶ方法も自ずと絞られます。私のお勧めは「ポモドーロ法」です。

これは時間を区切って集中する勉強法です。まずは目に入ると気が散るスマホやタブレットなどを、勉強する場所から排除します。環境を整えたら、**「25分勉強して、5分**

休憩する」を1セットとして実行します。

個人差はありますが、人間の集中力が持続するのは、20分から30分が上限とされるためです。休憩を入れるのは、脳を休ませることで軽い記憶の固定ができると言われているから。その間はスマホをいじったりせず、リラックスして過ごしましょう。

記憶の定着をより高めるには、ポモドーロ法に「復習」を組み合わせるといいでしょう。多くの場合、人間の脳は学習して1日経つと、学んだことの半分近くを忘れてしまいます。よって記憶を定着させるには、同じ内容を反復するしかありません。

具体的には、25分のうち最初の1〜2分で一昨日勉強したことを、次の1〜2分で昨日勉強したことを見直します。大事なキーワードをざっと確認する程度で構いません。この方法なら、一度学んだことを少なくとも二度復習できます。

加えて、できれば最後の1〜2分を明日の予習に充てると理想的です。これも翌日やる予定の内容に軽く目を通す程度で結構です。人間は親しみのあるものにポジティブな感情を抱くので、一度目にしたものなら脳が記憶しやすくなります。

「スモールステップ」で三日坊主の壁を突破する

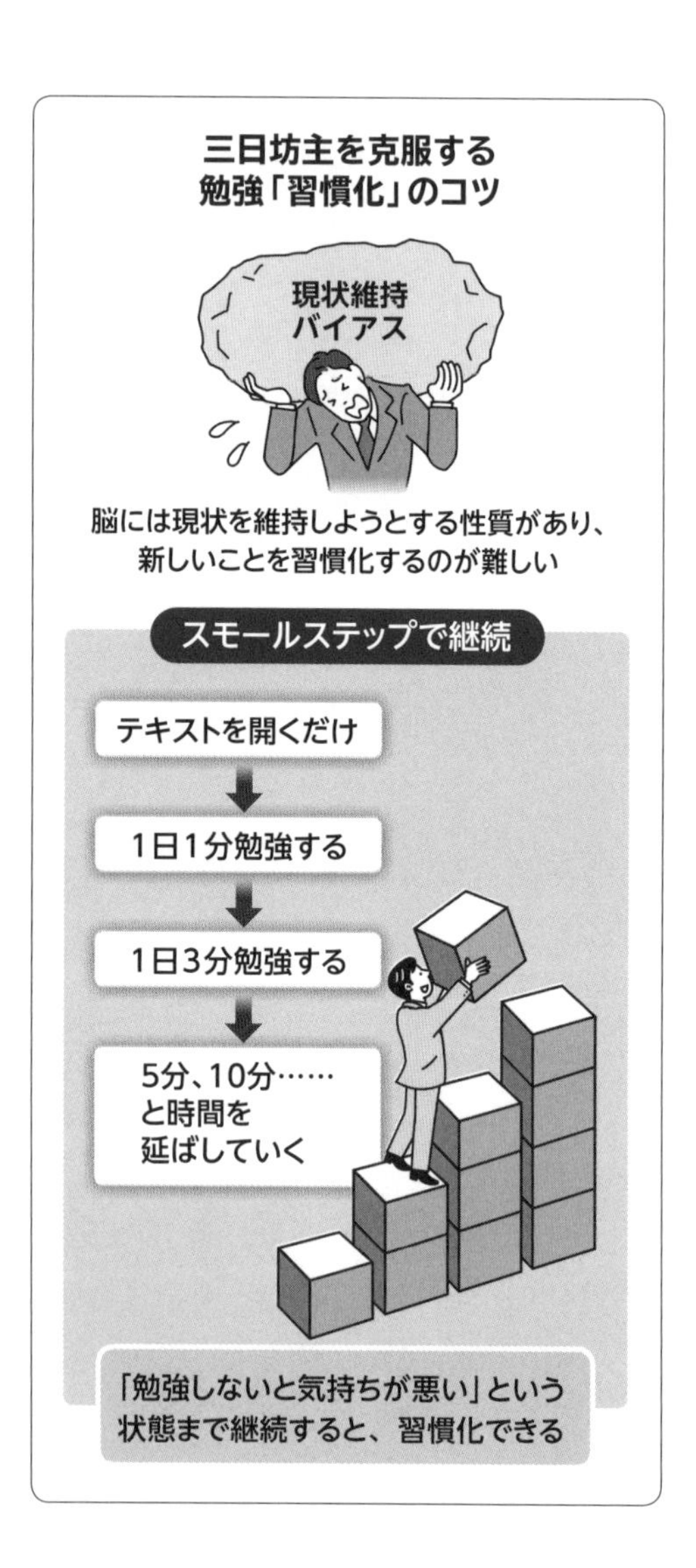

なお、脳には「現状維持バイアス」があるため、新しいことを習慣化するのが難しく、

勉強が三日坊主で終わることもよくあります。

それを乗り越えるコツは、最初のステップをできるだけ小さくすること。25分も勉強に集中できないなら、まずは1日3分から始めてみる。それも難しいなら1日1分でもいい。それも難しければ、机に向かってテキストを開くだけでも構いません。

最初の一歩が小さいほど、脳の中で拒絶反応が起きにくくなります。それが1週間続けられたら、5分、10分と時間を延ばしていけばいいだけです。

物事を習慣化するには2カ月程度かかると言われます。裏を返せば、**2カ月続けると脳に逆の現状維持バイアスがかかり、「勉強しないと気持ち悪い」という状態になります。**

ぜひ皆さんも脳のクセを上手に利用して、勉強を習慣化してください。

PROFILE

たき・やすゆき●医師、医学博士。東北大学医学部卒、同大学大学院医学系研究科博士課程修了。脳のMRI画像を用いたデータベースを作成し、脳の発達や加齢のメカニズムを明らかにする研究者として活躍。読影や解析をした脳のMRI画像は、これまでに16万人にのぼる。著書に『脳医学の先生、頭がよくなる科学的な方法を教えて下さい』（日経BP）などがある。

「勉強する時間がない」はもう言い訳にならない!?
――すきま時間に一瞬で学習が進む「ふせん勉強法」

清水章弘
㈱プラスティー教育研究所代表取締役

「勉強が始められない、進まない」の最大の理由は時間がないからだという方も多いのではないか。しかし、わずかな時間でも、自分の意識次第で、学習時間に変えることはできるもの。学習塾を運営する教育の専門家・清水章弘氏には、「ふせん」を使ったオリジナルの勉強法を紹介してもらった。

トイレへ行くたびに学習できる「暗記ドア」

私が運営する塾で教えている勉強法で、子供たちに人気なのが「ふせん」を使った勉強法です。中でも、特にお勧めしているのが「暗記ドア」。

これは私が東大を受験した際に生み出した独自のメソッドで「無事に現役合格できたのは、ふせんのおかげ」と言ってもいいくらいです。この勉強法は**ちょっとしたすきま時間を利用できるので、仕事や家庭で忙しい大人の学び直しに最適**なのです。

やり方は至って簡単。75㎜×75㎜のふせんを用意し、覚えたいことを問題形式にして表側に書きます。「1603年に江戸幕府を開いた人（徳川家康）」を覚えたいなら、「1603年に誰が何をした?」と質問の形にします。ふせんの裏側には回答を書き、すぐに答え合わせができるようにします。

次にふせんをドアに貼ります。自宅のリビングやトイレのドアなど、1日に何度も通る場所を選ぶといいでしょう。そして「問題に答えられるまでドアを開けられない」をルールとし、3回連続で答えられたら、そのふせんは剥がす。これを日常生活の中で繰

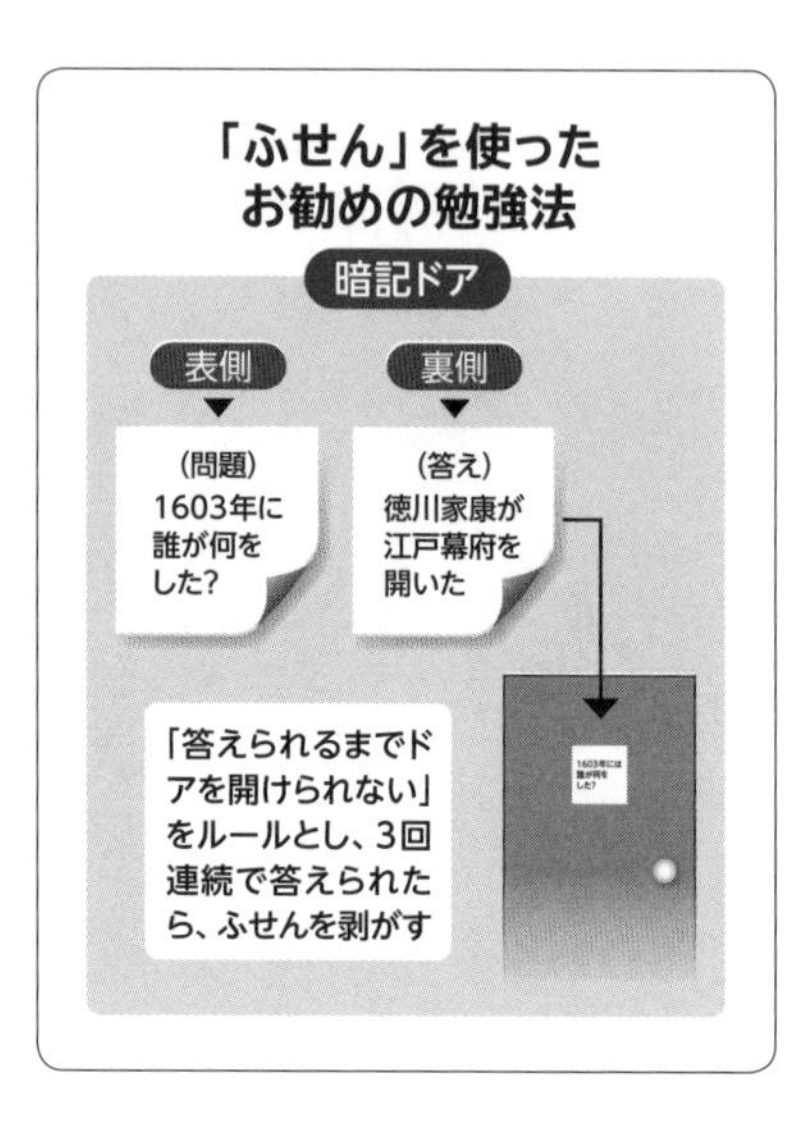

り返すだけです。

これなら忙しいビジネスパーソンでも実践できます。いくら「時間がない」と言ってもトイレに行かない人はいませんから、**ドアを開ける一瞬を学習時間に変えてしまえばいい**のです。「問題を解かないとトイレに入れない」と思うと必死になるので、答えもすぐに覚えられます。

あるいは冷蔵庫のドアにふせんを貼り、中のものを取り出すたびに問題を解けば、料理しながらでも勉強ができます。この勉強法はドア以外でも応用できるので、私の生徒の中には歯ブラシやドライヤーにふせんを貼り、歯を磨いたり髪を乾かしたりする間に問題を解く子もいます。

または普段持ち歩いている手帳やノートの表紙にふせんを貼り、移動の合間などに問題を解けば、出先でも「暗記ドア」を実践できます。工夫次第でいくらでも学習時間を増やせるのが、ふせん勉強法のメリットです。

1カ月で40点上げたアウトプットの繰り返しとは!?

「暗記ドア」は時間を有効活用できるだけでなく、学習効果も非常に高い勉強法です。

そもそも私が「暗記ドア」を思いついたのは、高3のセンター試験直前になっても世界史の点数が50点ほどしか取れなかったから。東大合格には90点以上が必要なので、あと1カ月で40点も上げなければいけない。どうすればいいか考えた末に、「もっとアウトプットを増やすべきだ」と気づいたのです。

それまでは覚えたい内容を紙に書きなぐって頭に入れようとしていましたが、結局は単に書き写すだけになり、試験問題を解くために必要な**「インプットした知識をつなぎ合わせてアウトプットする」**という練習が足りていませんでした。そこで生み出したのが「暗記ドア」です。

自分で問題を作ることにより、インプットした知識を整理したり、関連づけたりできます。ドアを通るたびにアウトプットすることで、記憶も強化されます。その効果は絶大で、センター試験の世界史で93点を達成。正答率6割が合格ラインとされる東大の二次試験では、世界史で8割も得点できました。

暗記問題だけでなく論述問題も多い二次試験でこれだけの点数を達成できたのは、ふせん勉強法によってひたすらアウトプットを繰り返したおかげです。

入れ替え自由な「ふせん」なら記述問題対策も万全

社会人の資格試験などでも記述問題や論述問題は多いので、ただ単語を丸暗記しただけでは点数は伸びないでしょう。これらの問題で試されるのは、「キーワードを使って何を語れるか」であり、**言葉の周辺情報を組み合わせて文章化する力が必要**です。「暗記ドア」はそのための基礎力を養ってくれますが、記述力や論述力をさらに鍛えたいなら、次の勉強法もお勧めです。

まずはふせんを4枚用意し、テーマを決めて関連するキーワードを1枚につき1つずつ書きます。「江戸時代」がテーマなら、「江戸幕府」「徳川家」「鎖国」「参勤交代」などと書くわけです。そしてこの4ワードを組み合わせて、江戸時代について語る文章を作ります。

ふせんなら貼ったり剥がしたりできるので、順番や位置を自由に入れ替えられるのが利点です。手を動かしながら言葉を組み合わせる作業は、文章の構造を考えるトレーニングになります。

これを繰り返すうちに、「徳川家が治める江戸幕府は鎖国政策をとりながら、参勤交代によって他の大名の力を弱体化させ、約３００年続く安定政権を築いた」などと語れるようになるのです。文章を声に出してアウトプットすると、体系的な知識としてしっかり記憶に定着します。

40単語をたった20分で覚える「返し縫い記憶法」

ふせんを使う以外にも、忙しいビジネスパーソンにお勧めの学習法があります。それが「返し縫い記憶法」です。

例えば英単語を40個覚えるとき、10個ずつ4グループに分けます。まずグループ①を2分で覚え、1分でテストします。次に②を2分で覚え、1分でテストしたら、①に戻って1分でテストします。次は③へ進み、2分で覚えて、1分でテストする。その次は

②に戻り、同様のサイクルで暗記とテストを繰り返します。
最後に①から④までを1分ずつテストし、総復習して仕上げます（右ページ参照）。この方法なら40単語を20分間で3回ずつテストできます。2分で覚えるという制限つきで

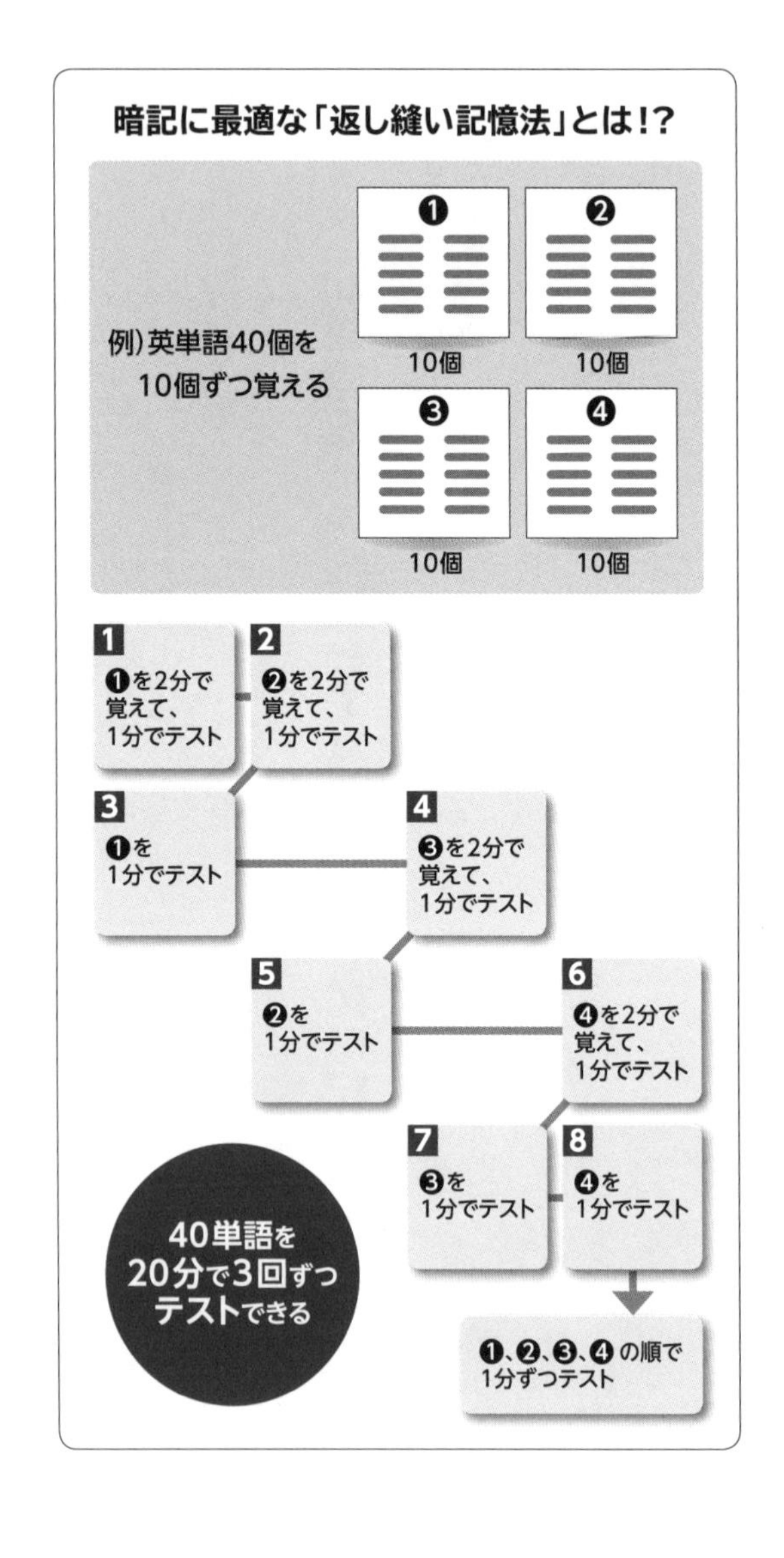

自分にプレッシャーをかけながら、**短時間のうちに高速でインプットとアウトプットを繰り返せる**のです。

10個が多すぎるなら、5個や3個に減らして構いません。これも私が学生時代に考案して効果を確認した暗記術で、受験生の間で高い人気があります。大人の皆さんも、すきま時間で集中的に暗記したいときはぜひ実践してみてください。

PROFILE

しみず・あきひろ●1987年、千葉県生まれ。東京大学教育学部卒、同大学院教育学研究科修士課程修了。東大在学中に20歳で起業。東京・京都・大阪で「勉強のやり方」を教える塾・プラスティーを運営しながら、全国の学校・教育委員会・企業でアドバイザーを務める。著書に『東大式ふせん勉強法』(ディスカヴァー・トゥエンティワン)など多数。TBS系「ひるおび」などテレビ・ラジオ出演も精力的に行なう。

第3講で『THE21』編集部が学び得た
「学び直し」の効果を上げる5つのコツ

▼目的、目標を明確にする

積極的行動は大切だが、やみくもに学び続けるようではいけない。学び直しの目的、目標を大切に。

▼学習計画を立てる

いつまでに、どのようなプロセスで学ぶかを決めておくことで、学習の継続を図る。

▼スキマ時間を生かす

時は金なり。いくら仕事が忙しくても「すきま時間」は必ずある。時間を無駄にしない自分なりの工夫を。

▼他人に学び、倣う

学びは真似(まね)び。達人たちのノウハウや成功体験にも学ぼう。自分に合った学び方がきっとある。

▼無理や無茶は禁物

とはいえ、予定通りに進まなくても無理、無茶はいけない。適度のリフレッシュも忘れずに。

補講

一生学び続けることで豊かな人生を

フォルダ型人間よりも、ハッシュタグ型人間になろう！

──80歳を過ぎても衰えない好奇心と学ぶ意欲

若宮正子

ITエヴァンジェリスト

82歳のときにシニア向けのスマホアプリを開発し、「世界最高齢のアプリ開発者」としてAppleのCEO、ティム・クック氏に賞賛された若宮氏。今もなお、最新テクノロジーへの関心は尽きない。そんな若宮氏に、歳を重ねても好奇心や学ぶ意欲が衰えない理由をうかがってみると、いつまでも若々しさを維持する秘訣が見えてきた。

好奇心を持ち続けるために心がけていること

――若宮さんは現在87歳。歳を重ねてもなお、精力的に活動されていますね。

若宮　私は子どもの頃から好奇心が人一倍旺盛で、それは今でも変わりません。会いたい人がいたり、やりたいことがあったりすれば、国内でも国外でも、切符や航空券を自分で予約して、一人で飛んでいきます。暮らしているマンションでも、住人には自分から進んで挨拶をしたり、話しかけたりするものだから、一人暮らしでも寂しいと思ったことはありません。さらに、１９９０年代のパソコン黎明期からオンラインで人と交流することを楽しんできたので、オンライン上にも友達がたくさんいます。その中には、性別も年齢もわからない、ハンドルネームしか知らない友達もいるんですよ。

周りの人たちは私に、「あなたはいいわね、たくさんの人に囲まれて楽しそうで」とおっしゃいます。確かに、毎日刺激的すぎて、好奇心が衰えることはなさそうです。

――好奇心を持ち続けるために、心がけていることはありますか？

若宮　「自分から働きかける」ということはいつも意識しています。気になる人がいれば自分から話しかけるし、知りたいことがあればすぐに調べる。２０２２年６月には、ＩＴ先進国のデンマークを視察したくて、一人で旅にも出ました。ＳＮＳ上のつながりも多すぎて管理スパンを超えるほどです。だから毎日楽しくて仕方ない。そんな話を講演会でですると、特に40代、50代の方が興味を持ってくださるんです。「認知症になったらどうしよう」「いつまで健康で生きられるのだろう」などと老後の不安を抱えている彼らの前に、私みたいな人間が出ていくと、明るい気持ちになれるみたいなんですね。

確かに、歳を重ねていけば、ネガティブな話題も増えていきます。でも、落ちていく夕日を引っ張り上げることができないように、みんな必ず歳を取って死んでいくんです。それなら、今楽しめることを楽しまないと。

失敗して恥をかくことが怖くなくなったきっかけ

――つい将来の不安に焦点を当ててしまって、今の楽しみを見過ごしがちですね。

若宮　特に賢い人、真面目な人ほど、その傾向が強いと思うんです。例えばね、将来介護が必要にならないように、体を鍛えておこうと頑張る人がいるでしょう。運動することが好きならいいのですが、将来のために無理や我慢をするというのは、今という時間をないがしろにしているということです。

それは新しいことを始めるときや、学ぶときも同じです。出世や昇進のためなど、「何かのため」にするのではなく、それをすると今を楽しめそうだからする。そんなふうに取り組むと、学ぶ意欲は衰えないように思います。

――やりたいことを素直に楽しんできた結果、脳の若々しさもフットワークの軽さも保たれている若宮さんを見ていると、とても説得力がありますね。一方で、失敗を恐れて新しいことになかなかチャレンジできない人も多いと思います。若宮さんは失敗したらどう切り替えていますか?

若宮　私は若い頃から一人で海外旅行をするのが大好きだったので、英語が話せたらと思って、英会話のクラスに通っていた時期があるんです。そのクラスでは、クリスマスパーティーのときに、その年のベストスチューデントを発表していました。ある年に私が選ばれたことがあって、その理由を先生がこんなふうにおっしゃったんです。

「Ms.Wakamiyaは、自分が考えていることを臆さず発表して、あらゆる間違えをしてくれた。その間違えを私が正すことで、他の生徒も学ぶことができた。だから彼女が一番クラスに貢献したんだ」
それを聞いたとき、失敗することは自分のためだけでなく、周りの役にも立つんだと、目から鱗が落ちました。それ以降、たくさん挑戦して、失敗して、恥をかいて生きていこうって決めました。

挫折は悪いことじゃない、「途中でやめた」だけ

——失敗しても落ち込む必要はありませんね。

若宮　私、挫折っていう言葉はよくないなぁと思うんです。ネガティブなイメージがあるでしょう？　新しく学び始めたことがうまくいかなくたって、それを挫折だと思ってうしろめたさを感じる必要はないんです。それは挫折ではなく、「途中でやめた」というだけなんだから。私はずっとやってみたかった日本舞踊を習い始めたものの、あまりにもできないからやめたことがあるんです。でも、日本舞踊を途中まで習った経験があるから、長唄、常磐津、清元などの日本舞踊の音楽について知ることができた。それは「世界を広げられた」ということなのに、挫折というひと言で片づけてしまうのは、

なんてもったいないんでしょう。
40代、50代の方には、やりたいと思ったことは、仕事に関係ある、ないにかかわらず、やってくださいとぜひお伝えしたいです。企業や社会もそういった人たちを求めているのではないでしょうか。

40代・50代のうちにハッシュタグを増やしておく

――どういった生き方をしていくと、学ぶ意欲や若々しさといったものが衰えないと思われますか？

若宮　「フォルダ型人間」ではなく、「ハッシュタグ型人間」になることですね。そのほうが、人生を楽しめると思います。
フォルダ型人間とは、例えば、「○○会社の○○支社、○○部の○○課の若宮です」というふうに、大きなフォルダの中のサブフォルダの、そのまたサブフォルダの中に自分を入れるような、帰属意識の強い人です。こういった人は、定年を迎えてフォルダから引っこ抜かれたら、たちまちアイデンティティーがなくなってしまいます。

若宮正子氏流・
若々しさを保つ生き方

- 「将来のために頑張る」よりも「今を楽しむ」
- たくさん挑戦して、たくさん失敗する

挫折は「途中でやめた」だけ。
うしろめたさを感じる必要はない

- 「フォルダ型人間」から「ハッシュタグ型人間」になろう

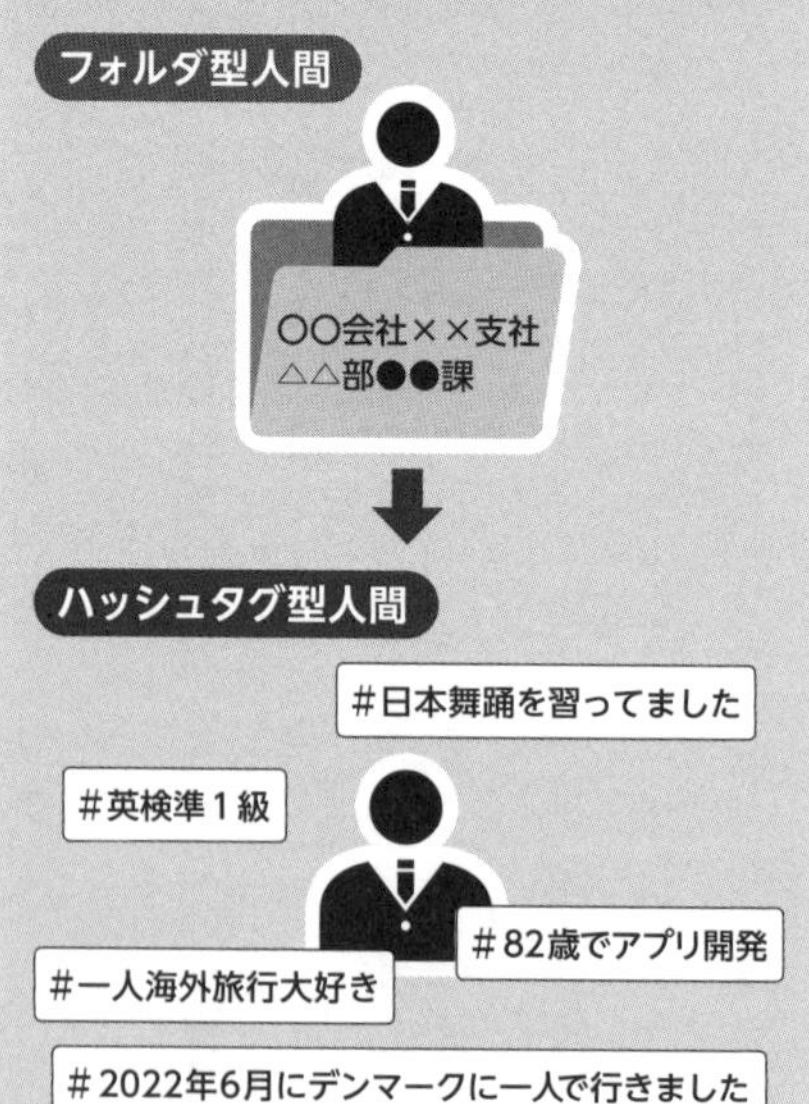

一方、ハッシュタグ型人間は、仕事に関連することを含めて、好きなことや興味のあること、学んでいること、趣味などをいっぱい持っている人。SNSに投稿するとき、「#」と一緒にキーワードを付けますよね。そんな感覚で、自分にペタペタとハッシュタグをつけている人です。私だったら、「#82歳でアプリ開発」「#日本舞踊を習ってまし

た」「#英検準1級」「#一人海外旅行大好き」「#2022年6月にデンマークに一人で行きました」「#SNS大好き」という感じ。

「人生100年時代」と呼ばれる今。40代、50代のうちにハッシュタグをたくさん増やしていけば、今も楽しめるし、これからの人生もますます楽しくなっていきます。もしかしたら、ハッシュタグのおかげで、定年後に新しく仕事を始められるなんてこともあるかもしれません。未来のことはわからないのだから、とにかく今を楽しみましょう。

私も、死ぬまで好奇心を忘れず、人生を楽しんでいきます。

PROFILE

わかみや・まさこ●1935年生まれ。高校卒業後、三菱銀行(現・三菱UFJ銀行)にて定年まで勤務。58歳からパソコンを独学で習得。2017年にゲームアプリ「hinadan」を開発。米国アップル社CEOに同社の開発者向け会議WWDCに特別招待されたことで注目を集める。岸田首相主催・デジタル田園都市国家構想実現会議構成員を務めるなど、IT分野において広く活動している。著書に『60歳を過ぎると、人生はどんどんおもしろくなります。』(新潮社)などがある。

おわりに

グローバル社会において、現下の日本は、超高齢化社会の道の先頭を走っています。そうした日本社会の中で、「学び直し」とともに、その必要性がよく説かれるようになったものとして「自助・共助・公助」の精神があります。防災の心得として世の中に広まった感がありますが、近年ではキャリア形成を論じるうえでも使われているようです。ただし、この3つの「助」は、まず「自助」があって成り立つものです。そして、自助の精神を発揮するにはやはり「学び」が必要になるのはいうまでもありません。

長い日本の歴史を振り返ると、「学び」の大切さを説く言葉は無限にあります。例えば幕末維新の志士たちの心を奮い立たせた佐藤一斎の『言志四録』には、こうあります。

「少にして学べば、すなわち壮にして為すことあり。壮にして学べば、すなわち老いて衰えず。老いて学べば、すなわち死して朽ちず」

また、私たちPHP研究所の創設者で、パナソニックグループの創業者でもある松下幸之助も、自身が73歳のときに刊行した著書『道をひらく』で、「学ぶ心」と題して、こんな言葉を遺しています。

「どんなことからも、どんな人からも、謙虚に素直に学びたい。すべてに学ぶ心があって、はじめて新しい知恵も生まれてくる。よき知恵も生まれてくる。学ぶ心が繁栄へのまず第一歩なのである」

そして本書でも、最後の「補講」で紹介した若宮正子氏のように、多くの方々が今、「一生学び続ける」生き方を実践されています。

40代・50代からの「学び直し」をきっかけに、一生学び続け、自助の精神を発揮していくことで、社会に必要とされる人であり続ける。それが結局は、共助や公助を高めることになり、お互いの社会をより豊かなものにしていくことになる――。そのように考えるところにも、「学び直し」の意義があるのではないでしょうか。本書が、その「気づき」のきっかけとなるようであれば幸いです。

初出一覧　※いずれも月刊誌『THE21』(PHP研究所)

第1講	p.012	2022年7月号	取材・構成	辻 由美子
	p.022	2022年7月号	取材・構成	長谷川 敦
	p.032	2018年5月号	取材・構成	『THE21』編集部
	p.040	2022年7月号	取材・構成	林 加愛
	p.054	2023年2月号	取材・構成	林 加愛
	p.066	2023年2月号	取材・構成	川端隆人
	p.080	2023年2月号	取材・構成	林 加愛
第2講	p.098	2022年7月号	取材・構成	塚田有香
	p.112	2022年7月号	取材・構成	杉山直隆
	p.126	2023年2月号	取材・構成	『THE21』編集部
	p.140	2022年7月号	取材・構成	前田はるみ
	p.148	2022年7月号	取材・構成	『THE21』編集部
	p.156	2023年1月号	取材・構成	『THE21』編集部
	p.164	2023年2月号	取材・構成	横山瑠美
第3講	p.178	2023年2月号	取材・構成	塚田有香
	p.192	2023年2月号	取材・構成	山岸裕一
	p.206	2023年2月号	取材・構成	林 加愛
	p.220	2022年7月号	取材・構成	東 雄介
	p.228	2022年7月号	取材・構成	平林謙治
	p.236	2022年7月号	取材・構成	林 加愛
	p.244	2023年2月号	取材・構成	坂田博史
	p.258	2022年7月号	取材・構成	塚田有香
	p.266	2022年7月号	取材・構成	塚田有香
補　講	p.276	2023年1月号	取材・構成	小笠原綾伽

※本書収録に際し、改題等の編集を施したものもあります。

編者紹介

月刊『THE21』

忙しい毎日を送るビジネスパーソンに役立つ情報をお届けする月刊誌。仕事やキャリア形成のコツをはじめ、健康や食事、お金のことなど、人生に必要な幅広い知識を、識者へのインタビューを中心に構成。毎月6日発売。

THE21オンライン https://shuchi.php.co.jp/the21/

40代、50代で必ずやっておきたい
「学び直し」超入門

2023年4月7日　第1版第1刷発行

編　　者	『THE21』編集部
発 行 者	永　田　貴　之
発 行 所	株式会社PHP研究所
	東京本部 〒135－8137 江東区豊洲5－6－52
	ビジネス・教養出版部 ☎03－3520－9619(編集)
	普及部 ☎03－3520－9630(販売)
	京都本部 〒601－8411 京都市南区西九条北ノ内町11
	PHP INTERFACE https://www.php.co.jp/
組　　版	株式会社ウエル・プランニング
印 刷 所 製 本 所	大日本印刷株式会社

ISBN978-4-569-85460-1

PHPの本

成長し続ける　脳の使い方

『THE21』編集部 編

脳の専門家と記憶、集中力のプロが具体的に教える「生涯現役の脳」をつくるための生活の工夫やコツ。「認知症」の正しい知識も収録。

定価　本体一、五〇〇円（税別）